프란츠 카프카

알려진 혹은 비밀스러운

글 **라데크 말리**
옮김 **김성환**

그림 **레나타 푸치코바**
감수 **편영수**

프란츠 카프카

알려진 혹은 비밀스러운

소전
서가

프란츠 카프카를 평범한 인간으로 여기길 포기하지 않는 모든 이에게

카프카 문학의 문을 여는 또 하나의 열쇠

프라하는 〈맹수의 발톱〉처럼 카프카를 붙잡고 놓아 주지 않았다. 카프카는 프라하를 증오하면서도 끝내 떠나지 못했다. 카프카의 생가, 그가 다녔던 김나지움과 대학, 노동자 산재 보험 공사의 사무실 등이 프라하의 구시가지를 비롯한 시내 중심가에 위치하고 있다. 이 좁은 영역 안에 그의 인생 전체가 담겨 있었다. 프라하에서의 사회적, 개인적 체험들은 카프카 자신과 그의 작품에 뚜렷한 흔적을 남겨 놓았다. 그는 무자비한 전체주의 권력에 대한 무력한 개인의 공포를 정밀하게 묘사한 작가이다. 독자가 카프카 문학에 매혹되는 근본적인 이유는 카프카 문학의 주인공들이 겪고 있는 불안에서 자신의 불안을 읽을 수 있기 때문이다. 누구나 〈카프카〉일 수 있고, 카프카는 〈누구나〉일 수 있다.

카프카는 평범하지만 비범한 인간이다. 그는 일상적인 것, 평범한 것, 상투적인 것에서 벗어나려고 끊임없이 투쟁함으로써 작가로서의 정체성과 예외적인 위치를 잃지 않으려 했다. 그에게 글쓰기는 가부장적 사회 질서의 정점에 있는 〈아버지들〉로 대표되는 가정과 사회의 권력에 대한 저항의 표시였다. 고독하고, 세상을 등지고 산 작가라는 카프카에 대한 부정적인 이미지는 수정되어야만 한다. 카프카는 운동을 즐기며, 사교적이며 유머가 넘쳤다. 그는 직장인 노동자 산재 보험 공사에서도 상관과 동료들로부터 폭넓은 인정을 받았다. 이 책은 카프카와 그의 작품에 대한 잘못된 정보와 왜곡된 정보를 바로잡고, 불충분한 정보와 새로운 정보를 보충하고 있다. 특히 카프카의 계승자로 평가되는 체코 작가 보후밀 흐라발을 독자에게 소개한다.

이 책은 카프카의 삶과 그의 작품 속으로 들어가는 문을 여는 또 하나의 열쇠이다. 그 열쇠가 이제 독자의 손에 쥐어졌다. 그 열쇠로 문을 열고 카프카의 시대와 우리가 살고 있는 시대 안으로 들어서라고 이 책은 독자를 초대하고 있다. (글: 편영수, 전 한국카프카학회 회장)

카프카 현상: 바라지 않던 유명세

역사적인 도시 프라하, 체코의 수도인 이 도시는 전 세계의 관광객을 유혹한다. 멋진 성당, 숨 막힐 듯한 현대 건축물들과 더불어 놀랄 만큼 아름다운 자연을 쉽게 접할 수 있으며 100만 명이 넘는 행복해 보이는 시민들이 살고 있다. 하지만 프라하 인구의 다섯 배가 넘는 수의 관광객이 매년 이곳을 찾는 이유는 따로 있다. 프라하성, 카를교 그리고 프란츠 카프카라는 인물이다.

프라하를 돌아다니다 보면 도시 곳곳에서 다양한 모습의 카프카를 마주친다. 엽서, 티셔츠, 성냥갑, 카페 이름은 물론 거대한 코트 위에 올라탄 그의 동상까지. 심지어 몇몇 장소에서는 이 도시가 마치 카프카에게 사로잡혀 있는 듯한 느낌을 준다. 그가 남긴 작품들도 여전히 널리 사랑받지만, 프라하를 세계적인 도시로 성장시키는 데 큰 몫을 해왔던 그의 이미지나 상징성에 비할 바는 아니다. 심지어 카프카가 직접 쓴 작품의 수는 사후 그에 관한 책의 수 근처에도 미치지 못한다.

문학을 좋아하는 사람이라면 특별히 그에 관해 찾아보지 않더라도 이미 알고 있을 만한 내용을 정리해 보자.

1. 프라하 출신의 유대인 작가이며, 독일어로 글을 썼다.
2. 어느 날 아침, 벌레로 변신해 다시 되돌아가지 못한 사람에 관한 책을 썼다.
3. 직업, 여자 그리고 아버지와 갈등을 겪었으며, 그의 작품 내용이나 문체로 미루어 볼 때 그가 가진 갈등은 그뿐만이 아니었다.

본질적으로 카프카는 이 세계와 갈등을 겪었고, 아직까지도 세계는 여전히 그와 갈등을 겪고 있다.

**진실의 길은 공중 높이 매달려 있는 밧줄이 아니라,
땅바닥 바로 위에 낮게 매달린 밧줄 위에 있다.
그것은 걸어가게 하기 보다는 오히려 걸려 넘어지게 하려는 것처럼 보인다.**
―카프카의 잠언

보헤미아의 유대인

유대인들은 9세기에 처음으로 보헤미아 지역에 이주한 것으로 추정된다. 그들은 상업이 번창한 지역에 정착하였고, 프라하도 그중 하나였다. 유대인들은 내성과 외성 사이의 비좁은 구역으로 거주가 제한되었는데, 이 게토 구역은 점차 확대되어 후에 〈요세포프〉[1]라고 알려지게 된다. 프라하 현지 주민들은 이 지역으로의 출입이 금지되었다.

당시 프라하 시민들에게 유대인은 도저히 납득할 수 없는 이교도적 풍습을 가진 민족이었지만, 그들은 특유의 열정과 성실성으로 부를 축적해 갔다. 이러한 이유로 유대인은 빈번하게 혐오의 대상이 되곤 했다. 유럽의 다른 여러 도시와 같이 프라하에서도 유대인을 대상으로 한 집단 학살이나 대규모 폭동이 반복되었다. 이에 유대인은 왕에 의해 보호를 받게 되었으나 특권의 대가는 과중한 세금이었다.

구불구불한 골목길, 비밀 통로 같은 지름길, 숨겨진 중정 등으로 인해 프라하 게토는 많은 전설을 낳았다. 그중 가장 유명한 전설은 마하랄[2]에 관한 것이었다. 그는 실존 인물이었던 〈예후다 뢰프〉라는 유대인 랍비로, 프라하 유대인들의 정신적 지주이자 뛰어난 지식을 지닌 인물이다. 전설에 따르면, 그는 유대인에게만 비밀리에 전해지던 신비스러운 지식을 바탕으로 진흙에서 골렘을 창조해 냈다. 생명을 다한 골렘의 시신은 프라하의 스타로노바 유대교 회당 다락방에 안치되어 있다고 전해진다.

골렘은 1915년 구스타프 마이링크[3]가 쓴 동명의 제목을 가진 소설에 의해 되살아났다. 비록 유대인도, 프라하 출신도 아니었지만, 마이링크는 프라하를 마법과 다크 판타지의 배경이 되는 도시로 명성을 얻게 한 최초의 소설가 중 한 명이었다.

프라하 게토의 최후

19세기 중반이 되어서야 프라하의 유대인은 다른 시민들과 동등한 권리를 인정받아 기존의 게토에서 벗어날 수 있었다. 부유한 유대인들은 게토 밖으로, 가난한 프라하 사람들은 게토 내로 이주했다. 이러한 경향은 지속되어 19세기 말에는 위생상의 이유로 유대인 거주 지역의 슬럼가를 정리하는 도시 계획이 실행될 정도였다. 수백 채의 중세 건물과 기존 거리 여럿이 소실되었다.

세월이 흐르며, 프라하의 유대인은 주류 사회의 구성원이 되기 위해 그들의 전통 중 많은 부분을 포기하며 동화되었다. 카프카가 태어났던 19세기 말경의 프라하는 가히 문화와 언어의 교차로였다. 보헤미아 지방은 여전히 오스트리아-헝가리 제국의 영토였고 독일어를 공통어로 사용했지만, 제국 내 체코의 입지에 대한 정치적 논란이 분분했다. 독일어를 쓰는 인구는 더 이상 프라하에서 다수를 차지하지 못하게 되었으나, 대부분의 프라하 유대인은 여전히 독일어를 자신들의 모국어로 여겼다.

21세기의 프라하와 어린 카프카의 기억 속에 각인된 프라하는 여러 면에서 큰 차이가 있다. 그는 급변하는 도시에서 성장하면서도 프라하의 과거 모습과 현재 나타나는 양상들을 동시에 인지하고 있었다. 당시 여느 프라하 시민이나 보헤미아 출신의 유대인처럼 그는 특별한 시기에 살았던 것이다. 그가 자랐던 보헤미아와 모라비아의 경계 지역에서는, 오스트리아 제국으로부터의 독립을 원하는 체코인들의 요구가 점점 거세짐과 동시에 유럽 전역에 퍼져 있던 유대인에 대한 국수주의적 편견이나 혐오가 만연했던 시기였다. 수세기에 걸쳐 프라하에서 형성된 그의 민족 공동체의 문화는 사라지고 있었다. 이러한 혼란스러운 시대적 배경과 압력은 아마 그의 작품만이 지닌 기이한 긴장감을 형성하는 데 영향을 주었을 것이다.

우리는 카프카의 모든 작품을 속속들이 다 이해할 수 없다. 또한 카프카도 모두 다 이해하라고 쓰진 않았을 것이다.

유대인 카프카: 나의 이름은 암셸이었다

모태 신앙인 유대교에 대한 그의 입장은 모호하다. 카프카의 아버지 헤르만은 자신의 가족은 체코인이라고 공공연히 선언하는 등 유대인 공동체와 거리를 두려 노력했지만, 여전히 매년 여러 차례 유대교 회당을 방문했으며 어린 카프카를 데리고 가기도 했다. 후에 카프카는 신비 체험과 초자연적 현상으로 대표되는 아슈케나지[4] 유대인 내의 종교 운동이었던 하시디즘[5]에 깊은 관심을 갖게 된다. 그는 이디시어로 공연하는 폴란드 유대인 극단의 프라하 공연에 빠졌었는데, 이디시어는 중세 이후로 유럽의 유대인 대부분이 사용해 왔지만, 보헤미아에서는 거의 사용되지 않았고 저속하고 천박하다고 여겨지던 언어였다.

친구인 막스 브로트의 영향으로 카프카는 유대 민족 국가를 건설하고자 하는 정치 운동인 시오니즘을 접하기도 했다. 짧은 인생의 말년에는 팔레스타인으로의 이주를 진지하게 고려하기도 했는데, 그곳은 바로 유대인들이 그리도 갈망하던 유대인의 국가가 건설되어야 할 약속의 땅이었다.

나는 히브리어로 암셸이라고 불리는데, 외증조부의 이름이 그러했다.
그분은 기다란 흰 수염을 드리운 아주 경건하고 학식이 많았던 사람이었던 것으로 어머니는 기억한다.
그분이 돌아가셨을 때 어머니는 여섯 살이었다.
─1911년 12월 25일, 카프카의 일기 중

유대교의 종교 의식 〈바르 미츠바Bar Mitzvah〉.
유대인의 성인식이다.

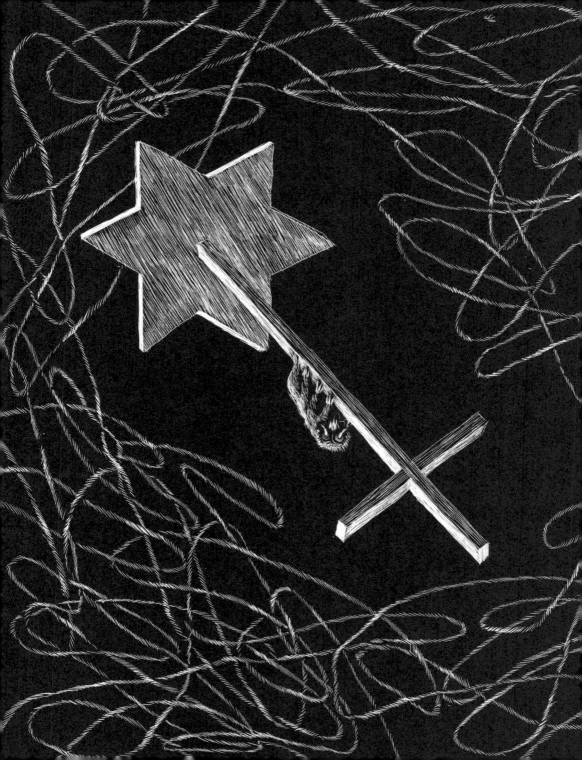

가장의 근심

단편 「가장의 근심」은 『시골 의사』라는 제목으로 1920년 출간된 책에 수록된 14편의 단편 중 하나였다.
이 소설은 〈오드라데크〉라고 불리는 괴상한 물체에 관한 이야기인데, 누구도 이 물체의 정체나 존재 이유를
모르며, 그로 인해 화자가 혼란에 빠진다는 내용을 매우 카프카스럽게 풀어낸다. 여러 세대에 걸쳐 문학
연구자들 사이에서 〈오드라데크〉라는 신비한 명칭의 유래와 작품 해석에 대해 이견이 분분했는데, 이 작품의
문체는 카프카가 산재 보험 공사에 다니던 시절 작성된 보고 문서를 떠올리게 한다.

어떤 이들은 오드라데크라는 말이 슬라브어에서 나왔다고 말한다. 그들은 그것을 근거로 이 말의 형성을
증명해 보이려 한다. 또 다른 이들은 이 말이 독일어에서 나온 것이고, 다만 슬라브어의 영향을 받은
것뿐이라고 말한다. 그러나 두 가지 해석의 불확실성으로 미루어 보아 그 어느 것도 정확하지 못할
뿐더러, 게다가 이들 해석으로는 그 의미를 발견할 수 없다는 결론을 내리게 될 것이다.

　　만약 오드라데크라고 불리는 존재가 실제로 없다면, 그 누구도 그런 연구에 몰두하지는 않았을
것이다. 그것은 우선 납작한 별 모양의 실타래처럼 보인다. 그리고 그것은 실제로 실이 감겨 있는 것처럼
보이기도 한다. 물론 그것은 다만 끊겨진 채 서로 엉키고 매듭지어진, 여러 모양과 색깔의 낡은 실타래
조각일 수 있다. 그러나 그것은 그저 실타래만이 아니라 별의 중간에는 횡으로 작은 막대가 돌출해 있고,
이 막대기와 맞닿아 오른쪽 모서리에 또 하나의 막대기가 있다. 이쪽 면에서 보면 이 두 번째 막대기의
도움으로, 다른 쪽 면에서 보면 별이 발하는 빛으로 인해 이 전체 모양은 마치 두 개의 다리로 서듯 곧추설
수 있다.

　　사람들은 이러한 형상의 물체가 예전에는 어떤 목적에 알맞은 모양을 가지고 있었으나, 지금은 그저
부서졌을 뿐이라고 믿고 싶은 심정일 것이다. 그러나 이것은 그런 경우는 아닌 듯하다. 적어도 그런
표시가 보이지 않는다. 어느 곳에서도 그런 것을 가르쳐 주는 성향이나 깨진 부분을 발견할 수 없다. 그
전체가 의미 없어 보이지만, 그 나름대로는 완성된 것으로 보인다. 그밖에 이것에 관한 더욱 상세한 것은
말할 수 없다. 왜냐하면 오드라데크는 유난히 움직임이 많아서 붙잡을 수 없기 때문이다.

그는 번갈아 가며 다락방에 있다가, 계단에 있기도 하고, 복도에 있는가 하면, 현관에 있기도 한다. 가끔 그는 몇 달 동안 보이지 않을 때도 있다. 그때는 아마 그가 다른 집으로 옮겨 갔을 것이다. 그러나 그는 어김없이 또다시 집으로 되돌아온다. 가끔 우리가 문밖으로 나올 때, 그가 저 아래 난간에 기대어 있으면, 우리는 그에게 말을 걸고 싶어진다. 물론 그에게 어려운 질문을 하지 않을 테고, 그를 마치 어린아이처럼—너무 작기에 그렇게 대하게 된다—대할 것이다. 〈넌 이름이 뭐니?〉라고 그에게 물을 것이다. 「오드라데크」하고 그가 대답한다. 「넌 어디서 살지?」「정해지지 않은 집」하고 말하면서 그는 웃을 것이다. 그러나 그 웃음은 허파 없이도 만들어 낼 수 있는, 그런 웃음이다. 그것은 마치 낙엽이 바스락거리는 소리처럼 들린다. 대화는 대개 이것으로 끝이 난다. 덧붙여 말하면, 이 대답조차 언제나 듣게 되는 것은 아니다. 그는 보통은 오랫동안 말이 없다. 마치 나무토막처럼. 실제로 나무토막인 것 같기도 하다.

나는 〈그가 어떻게 될까〉하고 헛되이 자문해 본다. 그가 죽을 수도 있을까? 사멸하는 모든 것은 그전에 일종의 목표를, 일종의 행위를 가지며, 그로 인해 그 자신은 으스러지는 법이다. 그러나 이 말은 오드라데크에게는 적용되지 않는다. 그렇다면 그가 언젠가 내 아이들과 손자들의 발 앞에서까지도 실타래를 질질 끌면서 계단 아래로 굴러 내려갈 것이란 말인가? 그가 아무에게도 해를 끼치지 않는다는 것은 분명하다. 그러나 내가 죽고 난 후에도 그가 살아 있으리라는 생각이 나에게는 몹시 고통스럽다.

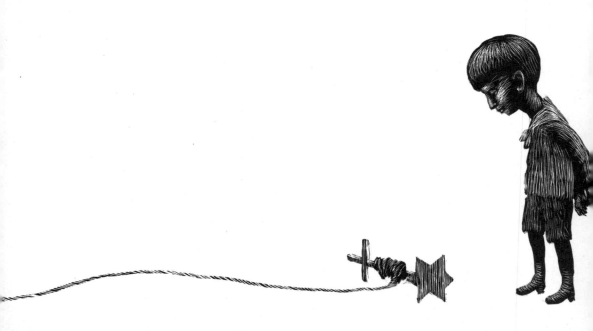

카프카의 프라하:
날카로운 발톱을 가진 어머니의 땅

1백 개의 황금빛 탑을 가진 모든 도시의 어머니, 프라하. 체코의 리부셰 공주 신화에 따르면 프라하의 명성은 별에 닿을 듯 드높았다. 프라하는 카프카에게 고향인 동시에 감옥이기도 한 애증의 대상이었다. 초기 단편소설 몇 편을 제외하고, 카프카는 단 한 번도 프라하를 배경으로 명시하지 않았으나, 많은 작품에 암시적으로 등장한다. 카프카는 1883년 7월 3일 프라하에서 태어났으며, 그가 원하지는 않았지만 대부분의 일생을 프라하에서 보냈다.

    카프카 작품 속 주인공 K는 의도적으로 문제적 인물로 그려지고 있는 데다가, 상징적이고 보편적인 감정을 일으키는 배경들(대성당, 대학교, 사무실 등) 때문에 프라하는 기이하고 초현실적인 장소가 되곤 했다. 그럼에도 불구하고, 많은 문학 연구자가 지적하듯 카프카의 삶은 프라하라는 도시의 특수성에 매우 큰 영향을 받았고, 이에 대한 수많은 증거가 있다.

    카프카에게 프라하란 구시가지와 말라 스트라나 지역6을 의미한다. 그의 히브리어 선생님이었던 프리드리히 티베르거는 구시가지 광장에 위치한 오펠투프 하우스 5층 카프카 부모님의 아파트에서 함께 창밖을 바라보며 카프카가 했던 말을 아래와 같이 회상했다.

        내가 다닌 고등학교가 저기 있고, 대학교는 바로 뒤 건물이고, 바로 왼쪽이 제 사무실입니다.
             내 인생은 이 작은 원 안에 담겨 있어요.

1903년 11월, 카프카가 친구 오스카 폴락에게 보낸 편지에
적은 시의 마지막 구절에서, 프라하의 우울함이 메아리침을
느낄 수 있다.

사람들, 뿌연 작은 전등을 들고
성자들 곁을 지나
어두운 다리를 건너는.
구름들, 노을에 물든 탑이 솟은
교회들 옆을 지나
잿빛 하늘 위를 흐르는.
한 사람, 마름돌 난간에 기대어
저녁 강을 바라보는
두 손을 오래된 돌에 얹고.

프라하가 나를 떠나도록 내버려두지 않네. (…) 우리 둘 모두를 말일세. 이 어미는 갈퀴 발톱을 가지고 있네. (…) 따를 수밖에, 아니면, 우리는 거기 두 곳, 비셰흐라트 요새와 흐라트샤니 궁에 불을 질러야 하네. 그래야만 떠나는 일이 가능할 거야.
─1902년, 오스카 폴락에게 쓴 편지 중

작가의 탄생

젊은 시절 카프카는 주로 밤에 글을 썼다. 여러 장르의 산문들 그리고 몇 작품이 출판으로 남아 있긴 하지만 많은 작품들이
불타 사라졌다. 그의 손으로 태워 버린 것이다. 1912년 9월, 그는 단편소설 「선고」를 완성했다. 이 작품의 문장에서 그는
자신의 목소리를 들었으며 앞으로 쓰여질 문체의 단면을 남겨 두었다. 당시 그는 일기에 다음과 같은 유명한 문장을
남긴다.

나는 이 「선고」라는 이야기를 22일에서 23일까지 밤에, 10시부터 다음 날 아침 6시까지 단숨에 썼다. 오래 앉아서 뻣뻣해진
다리를 책상 아래서 꺼내는 것도 거의 불가능한 지경이었다. 끔찍하게 힘들기도 했지만 기쁨도 있었다. 이 이야기는 마치 내가
물에서 앞으로 나가듯이 발전되어 갔기 때문이다. 이날 밤에 몇 번씩이나 나의 무게를 등에 싣고 있었다. (…)
하녀가 처음으로 앞방을 지나가는 동안 나는 마지막 문장을 써내려 갔다. 가벼운 가슴의 통증. 한밤중에 사라지던 피곤함.
누이들의 방 안으로 떨면서 들어서던 것. 낭독. (…)
나는 소설 쓰기와 더불어 글쓰기라는 수치스러운 저지대에 있다고 분명히 확신한다. 오로지 이런 식으로만, 오로지 이런
맥락에서만, 이처럼 완벽하게 육체와 영혼을 열어 놓은 상태에서만 글은 써지는 것이다. 오전에는 침대에 있었다. 점점 더
맑아지는 눈.
—1912년 9월 23일, 카프카의 일기 중

봄이 한창인 어느 일요일 아침 젊은 상인 게오르크 벤데만은 강가에 자리한 그의 집 1층 자기 방에 앉아 있었다. 이제 외국에 살고 있는 친구에게 보낼 편지를 막 쓴 참이었다.

그는 여러 해 전에 러시아로 도망치다시피 한 친구에 대해 생각하고 있었다. 그곳에서의 친구의 사업은 지금 잘 안 풀리는 모양이었다. 친구는 러시아 사람들과도 거의 교제를 하지 않았다. 그러다 보니 평생 총각으로 살고 있었다. 이런 사람에게 어떤 편지를 보낼 수 있을까? 다시 고향으로 돌아오라고 충고해야 할까? 그것은 친구에게 외국에 나가서 실패한 사람이라고 말하는 것과 같았다.

2~3년 동안 그의 삶의 양상은 크게 변했다. 약 2년 전에 그의 어머니가 돌아가시고 그는 늙은 아버지와 함께 살며 다른 모든 것도 그렇지만 특히나 사업에 더욱 전념해 왔다. 사업은 번창하고 있었다. 한 달 전에 그는 유복한 집안의 처녀인 프리다 양과 약혼했다. 그는 친구에게 보내는 편지에 자신의 사업 성공에 대해 말하고 싶지 않았다. 하지만 그의 친구가 결혼식에 오지 않는 것을 그의 신부가 섭섭해 하기에 약혼에 대해서는 언급해야 했다.

한참 후에 그는 편지를 주머니에 넣고 몇 달 동안 찾지 않았던 아버지 방에 들어섰다. 평소 그들은 가게에서만 만났다. 아버지의 방은 너무 컴컴해서 놀랄 정도였다. 먹다 남은 아침 식사가 테이블 위에 놓여 있었다.

「창문까지 닫아 놓으셨어요?」 그가 말했다.
「나는 그게 더 좋다.」 아버지가 말했다.
「페테르부르크에 제 약혼 소식을 알리려고 해요. 처음엔 제 약혼을 알리고 싶지 않았어요. 친구를 배려해서 그런 것이지 다른 이유는 없었어요.」(⋯)

「그가 저의 좋은 친구라면 제 행복이 그에게도 행복일 거예요.」
「네 소중한 어머니가 죽은 후로 여러 불미스러운 일이 일어났지. 가게에서 내가 모르는 일이 꽤나 있는데, 난 이제
기억력도 떨어지고 있어. 나를 속이지 마라. 페테르부르크에 정말 그런 친구가 있기나 하니?」

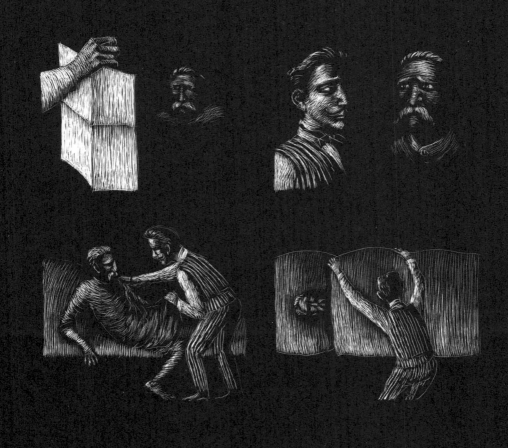

「다시 한 번 잘 생각해 보세요. 친구는 당시 아버지에게 러시아 혁명에 관한 믿기 어려운 이야기를 들려줬어요.」
「너에게는 페테르부르크에 친구가 없다. 넌 항상 속임수를 썼어.」
「제게 친구들이 정말 있다고 해도, 수천 명이라도 아버지를 대신할 순 없습니다. 이제 앞방으로 옮기시지요. 결혼식
이후 아버지는 우리와 함께 사실 거예요.」

「나를 속이고 싶었겠지만 그러려면 아직 멀었다. 난 네 친구를 물론 알고 있지. 그 친구야말로 내 마음속의 진짜 아들일게다. 내가 그를 불쌍히 여기지 않을 리가 있겠느냐? 그래서 너는 네 사무실에 처박혀 있었던 거야. 러시아로 그 같잖은 거짓 편지를 몰래 써서 보내려고!」 (…)

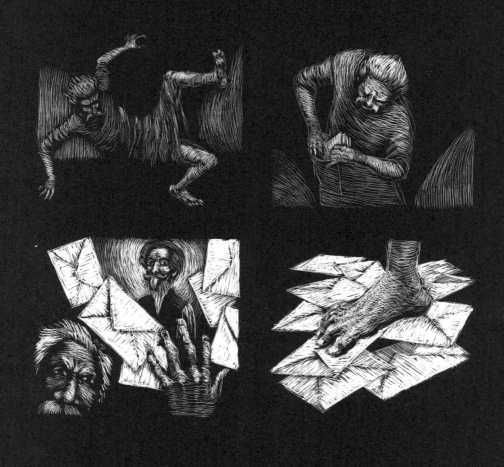

「넌 친구를 배반하고 나를 침대에 처박아 두었지. 내 진짜 아들이 환호성을 지르며 세상을 돌아다니고, 내가 준비해 놓은 사업들을 마무리하고서 만족해서 날뛰는 동안, 난 네 친구와 공모하고 있었다. 그는 이미 네 소식을 알고 있어. 내가 그에게 편지를 썼지. 그래서 그가 벌써 몇 년째 오지 않는 거야. 모든 것을 너보다 백 배는 더 잘 알고 있으니.」 (…)

「그래, 이제 네가 너 자신 말고 무엇을 더 아는지 한번 말해 봐라. 지금까지 넌 너밖에 몰랐지. 이 악마 같은 인간아! 그러니 똑바로 들어라. 이제 너에게 선고한다. 나가서 물에나 빠져 죽어 버려라!」

게오르크는 급하게 현관을 뛰쳐나와, 이끌리듯 차도를 지나 강으로 달려갔다.
「사랑하는 부모님, 전 항상 부모님을 사랑했습니다.」
그 순간에도, 다리 위에는 차량 행렬이 끊이지 않고 있었다.

카프카 가족의 안과 밖

카프카는 외아들이자 가업을 물려받아야 했기 때문에,[7] 가족 내 독보적인 존재로 어려서부터 가족들에게 특별한 관심을 받았다. 그의 가족은 카프카의 비범한 재능을 알아보았으나, 정작 카프카는 이를 〈부모님의 기대〉라는 감옥에 갇힌 것으로 여겼다. 그가 생각했던 독립적인 삶은 부모님의 꿈과는 멀었다. 부모님의 기대에 부응할 수 없다는 무능감은 그가 남긴 많은 소설에 공통적으로 흐르는 억압적인 긴장감의 원천이다. 서로 기본적인 이해조차 어려운 관계임에도 불구하고, 카프카는 부모님을 진심으로 사랑했다.

카프카의 부모님은 보헤미아 시골 출신으로, 당시 프라하가 더 안전하다고 느꼈던 다른 유대인들처럼 1880년대 초반 프라하로 이주했다. 그의 어머니 율리는 포데브라디의 부유하고 교육 수준도 높던 포목상 집안의 딸이었다. 그녀에게는 두 명의 의붓오빠와 세 명의 친오빠가 있었다. 카프카는 어린 시절 아직 미혼이었던 삼촌 지그프리트 뢰비와 방학을 함께 보냈는데, 그는 비소치나 지역의 트르제슈티에서 의료 실습을 하던 중이었다. 카프카의 어머니는 항상 아들의 편을 들어줬지만 남편에 맞설 수 있던 여자는 아니었다.

카프카의 아버지 헤르만 카프카는 남부 보헤미아 지역의 피세크 근처 오세크 출신이다. 그의 집안은 가난했으나 형제가 여섯이나 있었다. 헤르만 카프카는 처음에는 행상으로 시작하였지만, 프라하로 이사 온 후 그의 사촌이자 후에 카프카의 대부가 되는 앙겔의 도움으로 가게를 개업했다. 작은 장신구 소매상으로 시작하여 도매 사업체와 아파트를 소유하게 된다. 그는 가족들을 압도하는 가부장적인 가장이었으며, 항상 자신이 하는 일이 옳은 의도를 가진다고 주장하는 사람이었다.

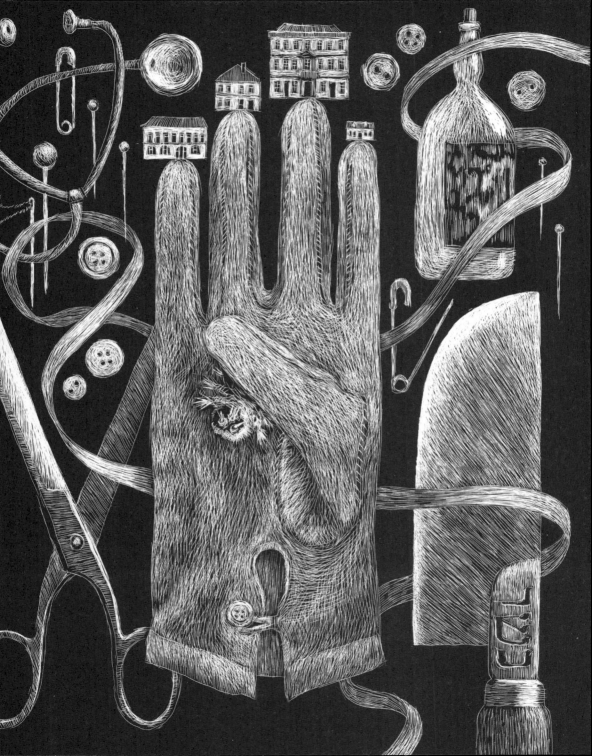

카프카의 세 여동생

카프카의 부모는 여섯 명의 아이를 낳았으나, 남동생 둘은 어렸을 때 사망했고, 카프카와 여동생 셋만 성인이 될 때까지 살아남았다. 1883년 7월 3일, 카프카가 태어난 날은 큰 희망과 기대로 휩싸여 있었다. 세 여동생 중 엘리로 알려진 가브리엘레가 장녀였고, 발리로 불린 발레리가 둘째 딸이었다. 두 여동생은 모두 아버지가 원하던 바에 따라 결혼했다.

　엘리의 남편 칼 헤르만은 1910년 지슈코프에 석면 공장을 차렸다. 카프카의 아버지는 카프카가 그 사업에 공동 경영자로 참여해야 한다고 생각했고, 카프카가 공동 대표가 될 수 있도록 지분을 사는 데 필요한 자금을 제공했으나 이는 모두 카프카의 의사에 반하는 것이었다. 카프카는 공장과 관련된 일에 책임을 지는 것을 극도로 싫어했으며, 보험 공사에서 일하는 것보다도 더 피하고 싶어 했다.

　카프카와 가장 돈독했던 여동생은 아홉 살 어린 막내 오틸리였고, 가족 모두가 그녀를 〈오틀라〉라고 불렀다. 카프카와 오틀라는 아버지가 정한 규칙에 반항심을 가진다는 공통점이 있었다. 오틀라는 아버지의 사업을 돕던 것을 그만두고, 자신만의 길을 가기 위해 시르젬에 있던 형부의 농장을 경영하기로 결정했다. 후에 그녀는 애국자이자 가톨릭 신자인 체코인 요세프 다비드와 연애 후 결혼했다. 오틀라는 카프카의 진정한 지지자이며, 친구였고, 이는 카프카가 「오틀라와 가족에게 보내는 편지」에 잘 드러나 있다.

헤르만 카프카: 끝없는 아버지의 영향

헤르만 카프카 같은 사람을 아버지로 뒀다면 어떤 아들이라도 문제가 있었을 테지만, 카프카와 아버지는 유난히 상극이었다. 카프카의 아버지는 오로지 작가가 되겠다는 열망만을 가진 카프카에게 결혼과 가업 승계를 준비하라고 압박하곤 했다. 당시 작가나 예술가가 되려는 사람들과 그들의 아버지 사이의 갈등은 흔한 일이었음을 상기하자. 카프카 세대의 많은 젊은이들은 부모 세대와 삶에 대해 확연히 다른 생각을 갖고 있었다.

카프카의 눈에 비친 그의 아버지는 가정의 폭군이었다. 어떤 면에서 그러한 생각은 의심할 여지 없이 정당했지만, 카프카는 아버지가 선의를 갖고 있다는 것 역시 알고 있었다. 이것은 결국 카프카에게 죄책감과 자책감을 느끼게 했다. 모든 판단은 시대상을 고려해야 한다는 점에서 보았을 때, 사실 카프카는 특별할 정도로 많은 자유를 누렸고, 오늘날의 관점에서 볼 때 그가 가족들에게 원한 것은 과도하다고 여겨질 정도의 요구였다. 어쩌면 카프카의 아버지는 카프카가 말한 것과 같이 가정의 폭군이 아니었을 수도 있다. 두 사람이 겪은 관계의 비극은 각자가 생각하는 세계가 너무 달랐고 서로 그것을 이해할 수 없었다는 점에 있었다.

아버지에게 쓴 편지

1918년 11월 젤리지에서 쓰인 카프카의 「아버지에게 쓴 편지」는 이상한 작품이다. 실제로 아버지에게 보내려고 쓴 편지 같은데, 카프카의 어머니는 그 편지를 보내지 말라고 설득했다. 이는 헤르만 카프카라는 사람이 어떤 인물이었는지 보여주는 증거가 아니라, 카프카가 아버지에 대해 느낀 감정의 증언으로 생각하는 것이 좋다. 카프카는 이를 통해 아버지가 자신의 내면을 돌아봐 주었으면 했다. 그의 어머니 율리는 이 편지가 소용 없을 것이라 판단할 만큼 눈치가 빨랐을까? 혹은 그저 너무 소심한 나머지 그녀의 남편을 화나게 할까 두려웠던 것일까?

긴 글 중 일부 발췌한 문장을 읽어 보자.

사랑하는 아버지에게.

제가 왜 아버지를 두려워하는지 근래에 물으셨습니다. 늘 그렇듯이 한마디의 답도 생각할 수 없었습니다. 한편으로는 두려웠기 때문이고, 또 한편으로는 제 두려움의 기저에는 지금 제 마음속에서 떠오르는 것보다도 언급해야만 할 훨씬 많은 자세한 내용이 있기 때문입니다. 그리하여 이제 글로써 답변을 드리려 할지라도 이조차 매우 부족할 것입니다. 이는 글을 쓰면서도 아버지에 대한 두려움과 그 두려움으로 인한 영향이 저를 억누르기 때문이며, 또한 말씀드릴 주제가 제가 가진 기억과 이해력의 범주를 훨씬 넘어서기 때문입니다. (…)

아버지가 갖고 계신 저에 대한 총체적 판단은 결국, 비록 저를 완전히 부도덕하거나 악의적인 사람으로 깔아보실지라도(최근 제 결혼 계획은 아마 제외되겠지만요), 그저 냉담하고 서먹하고 불손한 존재일 뿐일 겁니다. 그리고 게다가 아버지는 이 모든 게 제 잘못인 것처럼, 마치 제가 손가락 하나만 까딱해도 바꿀 수 있었던 것을 안 한 것처럼 생각하게 하시면서 당신께서는 제게 너무 잘해 준 게 문제일 뿐 다른 어떤 잘못도 없다고 생각하십니다. (…)

저는 소심한 아이였습니다. 또한 아이들이 원래 그렇듯 고집불통이었습니다. 물론 어머니가 잘못 키우기도 했겠죠. 하지만 제가 그렇게 키우기 힘든 애라고는 믿지 않습니다. 친절한 말 한마디 해주셨다면, 조용히 손 한 번 잡아 주셨다면, 다정한 눈길 한 번 주셨다면, 아버지가 저에게 원했던 것 중 무엇 하나도 못 하는 사람이 되었을 것이라곤 생각하지 않습니다. (…) 아버지는 그저 아버지 자체가 그런 분이시듯, 늘 억세게 큰 소리로 노여움으로만 어린 저를 대하셨고 그게 아버지가 생각하시는 강하고 용감한 아들을 만드는 가장 합리적인 방식이었겠죠. (…)

정확히 떠오르는 어린 시절 사건이 딱 하나 있습니다. 아마 기억하실 겁니다. 어느 날 밤 물을 달라고 질질 짠 적이 있었죠. 정확히 기억하는데 목이 말라서가 아니고 아마도 관심 끌고 싶어서이기도 하고, 그냥 질질 짜고 싶어서이기도 했습니다. 제게 몇 번 겁을 주시고 반응이 신통치 않자, 저를 침대에서 꺼내 발코니로 데리고 나가셔서 잠옷 차림인 채로 저를 혼자 두고 문을 닫으셨죠. 잘못하신 거라 말씀드리는 게 아닙니다. 아마 조용하고 평화로운 밤을 보내려면 그 방법뿐이었을 수도 있지만, 제가 이 사건을 꼬집어 말씀을 드리는 이유는 이게 바로 아버지가 아이를 키우는 전형적인 방식이자 제게 영향을 미친 전형적인 사례이기 때문입니다. 감히 말씀드리건대, 그 사건 이후 전 아주 순종적인 아이가 되었지만 제 마음에 큰 상처가 생겼습니다. 눈치 없이 물 달라고 조르는 것을 태생적으로 당연하다 여겼던 제게, 그 후 벌어진 압도적인 공포로 남았던, 밖에 끌려 나갔던 그 일은 본질적으로 절대로 합리적 연관성이 없는 두 사건이었던 거죠. 수년이 지난 후에도 거대한 남자(아버지이죠), 최고의 권력이 저를 침대에서 꺼내 발코니로 끌고 나가는 고통스러운 환상에 시달렸고, 이는 제가 아버지에게 아무 의미조차 없는 존재임을 뜻하는 것이었습니다.

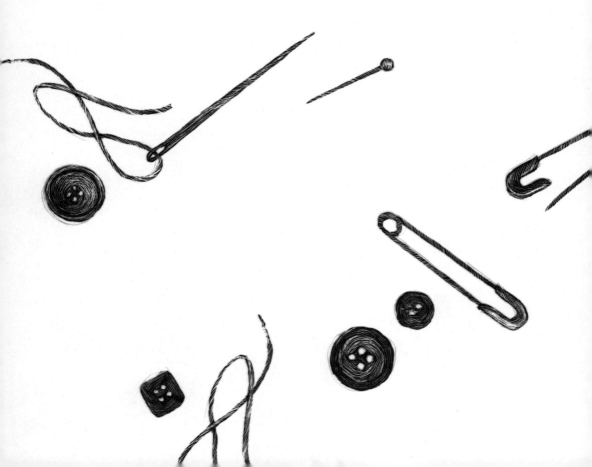

평범한 한 사람, 카프카

혐오하던 사무직과 고독한 글쓰기로 양분된 삶을 살았던 우울한 카프카를 별종이라 여기는 것은 그에 관한 무수한 설 중 하나에 지나지 않는다. 실제로 카프카는 많은 관심사를 가진 사람이었고, 의외로 스포츠를 멀리하지도 않았다.

극장에 가는 것을 좋아했고, 새로운 기술 발전 동향에도 민감했다. 예를 들면 그는 항공 기술에 관심이 많았다. 열정 가득한 여행광으로 유럽 대륙 너머 바다 건너 새로운 나라들을 접하게 되었다. 그는 수영과 노 젓기도 잘했다. 매일 아침 창문을 활짝 열고 운동을 했으며, 활동이 부족하다 싶을 때에는 손수 정원을 가꾸기도 했다.

현재와 마찬가지로 1백 년 전에도 건강한 라이프 스타일이 유행이었고, 카프카 역시 그 추종자 중 하나였다. 그는 병세가 악화되기 전 스파와 요양원에 자주 머물며 새로운 건강 요법 프로그램에 참여하곤 했다. 담배를 피우지 않았으며, 술과 차, 커피를 피했다. 또한 채식주의자가 되기도 하였다. 건강 회복을 위해 육류 섭취를 다시 하기 시작했을 때, 여동생 오틀라가 이어서 채식주의자가 되었다.

카프카의 친구 막스 브로트는 카프카에 관해 쓴 책에서 그가 베를린의 한 아쿠아리움에서 수족관 속 물고기를 들여다보며 한 말을 기억한다.

드디어 너희를 마음 편히 볼 수 있게 되었어. 나는 더 이상 너희를 먹지 않거든.

잦은 이사

〈베제 하우스〉라 불렸던 카프카가 태어난 집은(라드니체 거리 5)❶ 과거 유대인 게토의 변두리에 있었다. 이후 도시 정비 사업으로 인해 당시 건물은 철거되었지만, 현재 새로 지어진 건물 역시 예전의 건물과 비슷하다. 카프카 가족은 1885년에 이사 나왔는데 이는 프라하 구시가지 내에서만 이뤄진 여러 차례의 이사 중 첫 번째였다.

카프카는 유년기의 대부분을 화려한 인테리어로 유명한 〈미누티 하우스〉(첼레트나 거리 2)❷에서 보냈으며, 이곳에서 1889년부터 1896년까지 살았다. 세 여동생 엘리, 발리, 오틀라가 모두 이 집에서 태어났다. 카프카는 이곳에서 마스나 거리에 있던 독일계 초등학교와 상류층이 주로 가던 학교❸에 다녔고 집안 요리사가 걸어서 데려다 주곤 했다.

1896년 9월 카프카의 가족은 틴 성모 마리아 교회에 인접한 〈트리 크랄루 하우스〉(셀레트나 거리 602/3)❹로 이사했다. 그곳은 아버지 헤르만 카프카가 장신구 가게를 하려고 했던 부지였다. 카프카는 처음으로 자신만의 방을 갖게 되었다. 아버지의 사업은 날로 번창하였고, 아들에게 물려주길 내심 기대하고 있었지만, 이곳에 살며 고등학교와 대학교에 다니던 시절의 젊은 카프카는 그러한 아버지의 기대에 큰 반감을 갖고 있었다. 1906년, 카프카의 아버지는 셀레트나 거리 반대편에 도매상점을 차렸고 다음 해에 또다시 이사를 하게 되었다.

1907년부터 6년간, 카프카 가족은 〈로디 하우스〉(파르지슈스카 거리 36)❺에 살았다. 그곳에서 그는 첫 직장 생활을 시작하고 밤에 글을 쓰기 시작한다. 1912년 9월 말 그곳에서 그는 단편소설「선고」를 완성한다. 카프카의 가족이 살던 곳 중 처음으로 집 안에 욕실이 있었으며, 제2차 세계 대전 말에 철거되었다. 현재는 인터컨티넨탈 호텔이 들어서 있다.

1912년 헤르만은 마지막으로 그의 상점을 옮겼는데, 웅장한 골츠킨스키 궁전의 오른쪽에 있던 건물이었다. 헤르만의 사업이 절정에 달한 시기였다. 카프카가 1893년에서 1901년까지 다닌 독일계 중학교와 같은 건물이었다.❻

1913년, 카프카 가족은 현대식 건물인 〈오펠투프 하우스〉(파르지슈스카 거리 2)❼ 근처의 아파트 꼭대기 층으로 이사했다. 이곳에서도 카프카는 자신의 방이 있었지만, 종종 손님이나 친척이 방문할 때는 방을 비워 줘야 했으므로, 다음 해에는 단기적으로 다른 방을 빌려 쓰곤 했다. 그는 소음에 민감했고, 글을 쓰기 위해 완전히 조용한 장소가 필요했기 때문에 계속 장소를 바꿔 가며 집을 얻었다. 결국 프라하성 인근에 위치한 작은 집인 〈황금 골목 22〉에서 평화를 찾았다.❽

프라하 속 카프카에 관련된 다른 장소들

— 카페 아르코Kavárna Arco (들라즈데나 거리 1004/6). 독일어를 사용하던 프라하 작가들이 만나던 카페.❾
— 카를 대학교The Karolinum (젤레즈나 거리 541/9). 1906년 카프카가 법학 박사 학위를 받으며 졸업한 카를 대학교.❿
— 보헤미아 제국 노동자 상해 보험 공사The Workers' Injury Insurance Company for the Kingdom of Bohemia (나 포리치 거리 1075/7). 1922년 조기 은퇴 전까지 근무했던 상해 보험 공사 건물.⓫

카프카와 관련된 가장 유명한 장소 중 하나는 프라하성이 있는 구역인 흐라트샤니에 위치한 〈황금 골목 22〉이다. 1916년 카프카의 여동생 오틀라는 작은 집을 하나 얻었는데, 원래 궁수들을 위해 지어졌으나 루돌프 2세 황제 때 연금술사의 거처로 쓰인 집이었다. 오틀라는 카프카가 조용히 홀로 글을 쓸 수 있도록 이 집을 빌려줬다. 카프카는 이 집이 마음에 들었는지 1917년 3월까지 단편집 『시골 의사』에 수록된 거의 모든 작품을 이곳에서 완성했다. 당시에는 지금과 사뭇 다른 매우 조용한 지역이었지만, 오늘날은 그 유명세로 인해 수천 명의 관광객이 만들어 내는 소음으로 가득하다.

어느 여름날, 오틀라와 함께 아파트를 보러 다녔습니다. 정말로 한적한 곳이 있을 거라 믿지 않았지만, 그냥 둘러보기라도
하겠다는 마음으로 나섰습니다. 레서 타운에 있을까 싶어 가보았지만, 마음에 드는 집이 없었고, 농담 삼아 물어본 작은 골목에
있던 집을 11월부터 무료로 빌리게 되었어요. 오틀라 역시 조용한 걸 좋아하는 성격이라 그 집에서 살고 싶어 했습니다.
선천적으로 병약한 저는 도저히 거기서 살 수 있으리라 생각되지 않아, 오틀라를 말려 보려고 했어요. 그 집은 너무 평범하고,
더럽고, 사람이 살 수 있는 곳 같지도 않았으며, 도무지 정상인 구석이 하나 없었습니다. 그럼에도 오틀라는 자신의 주장을
밀어붙였고, 그 집에 살던 대가족이 떠나자, 페인트칠을 새로 하고 가구도 들였습니다. 가족에게는 비밀이었고, 여전히
비밀입니다.

—1916년, 펠리체 바우어에게 쓴 편지 중

우정의 힘: 프란츠 카프카와 막스 브로트

카프카는 대체로 불안증 성향을 가진 내성적 외톨이로 묘사된다. 일면 맞는 말이지만, 사실 그와 동시대에 살던 지인들은 그가 친구들과 어울리는 기쁨을 아는 사람으로 기억한다.

단지 그에게 진정한 친구가 몇 없었을 뿐이다. 중학교 시절, 그는 오스카 폴락이라는 친구에게 영향을 받았다. 오스카는 후에 예술사를 전공했는데, 법학 강의에 지친 카프카 역시 덩달아 예술사에 관심을 갖게 되었고 1902년에 강의를 듣기도 했다. 이 시절 카프카가 그린 드로잉 몇 점이 전해지는데 그만의 독특한 예술적 재능을 느낄 수 있다. 주로 대학 시절 지루한 강의 중 교재 빈 공간에 그린 드로잉이거나 편지의 삽화였다.

카프카와 가장 가까운 친구 중 한 명은 막스 브로트다. 그는 후에 카프카의 작품이 불길 속에서 사라지지 않도록 구해 냈으며, 카프카를 세계적으로 위대한 작가의 반열에 오르도록 가장 큰 도움을 준 사람이다. 브로트 덕분에 우리는 카프카와 관련된 많은 중요한 것들을 알게 되었지만, 그것이 그의 시선으로 본 것임을 간과해서는 안 된다. 선한 의지에서 비롯된 것이 분명하지만, 카프카의 이미지와 그의 유산을 자신만의 독자적인 시선에 따라 재해석한 것으로도 볼 수 있다.

브로트는 프라하 독일 대학교(카를 대학교)의 독서 모임에서 카프카를 처음 만났고, 이내 카프카의 신뢰를 받는 친구 중 하나가 되었다. 두 사람은 서로의 작품을 읽어 주고, 카페에 가고 수영을 즐기기도 하였으며, 여행도 함께 다녔다. 그는 자신의 미발표 원고를 태워 달라는 카프카의 유언을 저버리고 출간하여 카프카의 이름과 자신의 이름을 널리 알렸다.

프라하 서클

막스 브로트가 유명세를 태운 사람은 카프카뿐만이 아니다. 그는 레오시 야나체크와 베드르지흐 스메타나의
오페라 작품, 야로슬라프 하셰크의 걸작 코미디 소설『훌륭한 병사 슈베이크』의 홍보에도 큰 기여를 했다.
브로트는 나치가 체코 전체를 점령하기 직전인 1939년 봄 프라하를 떠났다. 전쟁 후 극장에서 일을
하며 카프카 작품 출판과 자신의 작품 활동에 매진했다.

  브로트의 대표작 중 하나는 1966년 출간된『프라하 서클』로, 그가 비공식적으로
리더가 되어 이끌었던 프라하의 독일어 작가들의 모임에 대한 소고를 담고 있다.
그 모임은 처음에는 소수로 시작하였으나, 브로트와 카프카 그리고
두 사람의 지인이었던 오스카 바움과 펠릭스 벨취가 합류하였으며,
시각 장애인 작가이자 음악 비평가였던 바움의 아파트에
자주 모여 문학 토론을 하곤 했다. 철학자이자
저널리스트였던 벨취 역시 브로트가 카프카에게
소개하였는데, 벨취와 브로트는 가난한 아이들에게
무료로 교육을 제공하던 피아리스트 교단이 운영한
초등학교를 함께 다녔다.

오늘날 〈프라하 서클〉은 제1, 2차 세계 대전 사이, 프라하에서 활동했던 독일어 작가들을
일컫는 말로 주로 사용된다. 카프카가 소속되었던 서클에는 시인이자 소설가인 프란츠 베르펠도
함께했다. 시인 라이너 마리아 릴케 및 저널리스트 에곤 에르빈 키쉬와 함께 베르펠은 프라하에서
활동한 독일어 작가 중 가장 유명한 작가로 꼽히며 카프카와 어깨를 나란히 했다. 1908년경
아직 명성을 얻지 못했던 카프카와 만났을 때, 그는 이미 각광받던 젊은
시인이었으며, 현재 마사리크 기차역과 가까운 전설적인 카페 아르코에서
작가들의 모임을 주도했던 인물이었다. 브로트와 카프카는 이 모임에
참석했고, 일부 체코 지식인들도 마찬가지였다. 베르펠은
이후 독일로 이주하여 1912년부터 출판사의 편집자로
일했다. 『변신』을 비롯한 카프카의 단편 중 몇
작품은 그가 일했던 라이프치히의 쿠르트 볼프
프레스에서 발행되었다.

회상 속에서뿐만 아니라, 카프카 시대에
프라하는 이미 베를린, 빈, 파리와 견줄 만한 당당한
유럽 문학의 중심지였다.

카프카와 여자: 풀리지 않는 신비

소심하고 남자로서 자존감도 낮은 카프카에게 여자란 복잡하고 어려운 존재였다. 카프카가 살던 시대는 지금과 같이
여성과 직접적인 사회적 관계를 맺기가 쉽지 않았다. 당시 사회는 여전히 여성에게 집안일을 요구하고, 힘이 되어 주는
아내, 좋은 엄마의 역할을 기대하긴 했지만, 이미 변화에 접어들고 있었으며, 카프카 인생의 주요 여성들은 하필 전통적인
여성상과 거리가 멀었다. 어쩌면 이것이 카프카가 여성과의 관계에서 겪은 문제의 일부 원인이었을 것이다. 카프카가 살던
시절의 젊은 남자들은 전통적인 남자의 직업을 대신할 능력이 있는 여자들, 혹은 1890년 최초로 설립된 〈체코 여성
김나지움〉[8]의 우수 졸업생과 같은 신여성을 받아들일 준비가 되어 있지 않았다.

펠리체 바우어

카프카는 베를린.출신 유대인 상인의 딸 펠리체 바우어와 두 번 약혼하고, 두 번 파혼했다. 1912년 막스 브로트의 집에서 처음 펠리체 바우어를 만난 카프카는 보자마자 그녀와 사랑에 빠졌다. 펠리체는 유능하고 독립적인 여성이었다. 자신의 소명인 글쓰기가 결혼으로 인해 방해를 받을까 두려워했던 카프카는, 이를 표현한 수많은 편지를 그녀에게 보냈으며, 펠리체는 늘 섬세하고 현실적으로 답했다.

그대가 있다 해도 나는 내 소설에서 벗어나지 않을 것입니다. 설사 그런다 해도 좋지 않을 겁니다. 왜냐하면 글쓰기를 통해 나는 삶을 붙들고 있고 그대가 서 있는 배를 붙들고 있으니까요. 내가 뛰어올라 갈 수 없어 슬픕니다. 그러나 그대여, 내가 글쓰기를 잃어버린다면 그대와 모든 것을 잃어버린다는 것을 이해하세요.
—1913년, 펠리체 바우어에게 쓴 편지 중

두 번째 파혼 때, 카프카는 자신의 병을 이유로 내세웠는데 병이 의무에서 벗어날 수 있는 핑곗거리를 준 것으로 보인다.

율리 보리체크

1918년 젤리지 온천에 체류 중 만난 율리 보리체크는 비노흐라디 유대교 회당에서 일하는 구두 수선공의 딸이었다.
율리는 착하고 세심했으나, 카프카는 스스로 자신이 누군가를 책임질 능력이 없다는 근본적인 문제의식을 지니고 있었다.
카프카의 아버지 역시 이 약혼에 반대했고, 카프카가 「아버지에게 쓴 편지」를 쓴 이유 중 하나였다. 결국 이 약혼도 파혼에
이르게 된다.

카프카가 율리와 싸웠던 이유는 인생에서 또 다른 중요한 여성, 밀레나 예센스카 때문이었다. 카프카보나 14살 어린 밀레나는 미네르바 김나지움 출신으로 자유로운 사상을 가진 체코의 저널리스트였다. 1919년 그녀는 빈에서 남편과 함께 살 때, 체코어로 카프카의 글을 번역 출판하자고 제안했다. 두 사람의 관계는 일로 시작해서 사랑으로 발전하게 되었는데, 대부분 편지를 통해서였다.

그녀는 살아 있는 불꽃이야, 내 여태 보지 못한 것 같은 그런.
―1920년 5월 초, 막스 브로트에게 쓴 편지 중

카프카와 밀레나는 실제로 두 차례만 만났을 뿐이고, 결국 카프카는 이 관계에서 발을 빼게 되지만 1923년까지도 두 사람은 간헐적으로 편지를 주고받았다. 카프카의 요청으로 밀레나는 체코어로 편지를 쓰기도 했으나 안타깝게도 전해지지 않았다. 『밀레나에게 쓴 편지』는 그의 가장 유명한 책 중 하나가 되었다. 카프카 사망 이후 밀레나는 이혼하고 프라하로 돌아와 문화 및 정치계에서 활약한다. 1939년 11월 반나치 활동으로 게슈타포에 체포되었으며, 1944년에는 47세의 나이로 라벤스부르크 수용소에 수감 중 사망한다.

그대의 편지들 중에 가장 아름다운 편지들은(그건 아주 대단한 걸 의미하오. 왜냐하면 그 편지들은 그 한 줄 한 줄 모두가 내 인생에서 일어난 일들 중에 가장 아름다운 것들이기 때문이오) 그대가 나의 〈두려움〉에 대해 정당하다고 말하면서도, 동시에 그 〈두려움〉을 가질 필요가 없다고 나를 설득하기 위해 노력하는 편지들이었소.
―1920년 8월 9일, 밀레나에게 쓴 편지 중

도라 디아만트

카프카의 마지막 여자는 폴란드에서 태어나 독일로 이주한 유대인 상인의 딸로 〈도라 디아만트〉라는 아름다운 이름을 가지고 있었다. 카프카는 1923년 발트해에서 휴양을 보내던 중에 그녀를 만났다. 그들의 첫 만남은 열정 그 자체였다. 카프카가 벅차오를 정도의 사랑을 경험한 것은 도라와의 관계가 유일할 것이다. 도라를 위해 카프카는 프라하를 떠나 베를린으로 건너갔고, 소박하지만 행복한 삶을 함께했다. 두 사람은 팔레스타인으로 함께 이주해 식당을 열어 도라는 요리사, 카프카는 웨이터가 되겠다는 계획도 세웠다. 그러나 신은 이를 허락하지 않았다. 도라는 카프카의 마지막 투병 생활을 함께했고, 결국 그는 1924년 6월 3일 도라의 품에 안겨 생을 마감했다.

그와 함께 보냈던 하루는 그가 평생을 써온 모든 작품에 비할 수 없는 것이었다.
－도라 디아만트

변신

아마도 카프카의 작품 중 가장 유명한 것은 1912년에 쓰여 3년 후에 출간된 「변신」일 것이다. 그가 살아 있는 동안 출간된 작품 중 자기 스스로도 완성했다고 여겼던 가장 긴 작품이다. 어느 평범한 날, 잠에서 깬 주인공 그레고르 잠자가 괴물 같은 해충으로 변신한다는 내용의 이 작품은 화자이자 주인공의 충격적이지만 담담한 사실 묘사로 주목받는다. 외판원인 주인공은 거대하고 추악한 벌레로 그려지는데, 그는 자신이 왜 이렇게 되었는지보다 오히려 출근과 가족의 부양을 더 걱정한다.

카프카는 자신의 작품에 삽화를 넣는 것을 허락하지 않았다. 독자가 그들만의 상상을 펼칠 수 있는 여백을 만들고자 했기 때문일 것이다. 「변신」은 영화, 극장, 만화 등을 통해 여러 차례 재해석되었으며, 세대를 걸쳐 예술가들은 그레고르가 변한 벌레의 모습을 재현해 왔다. 하지만 초판의 책 표지에는 그러한 그림이 없는데, 카프카가 초판에 벌레 그림을 넣고자 하는 계획을 듣고 분노하며 반대했기 때문이다. 결국 초판본에는 공포스러운 무언가가 숨겨져 있는 방문으로부터 도망치는, 겁에 질린 사람의 그림이 실렸다.

어느 아침, 그레고르 잠자가 그의 침대에 누운 채로 악몽에서 깨어났을 때, 그는 끔직한 벌레로
변해 있었다. 그는 등을 대고 누운 채였고 몸에 비해 가는 다리는 허공에서 속절없이 버둥대고
있었다.

테이블 곳곳에 옷감 견본 자료가 놓여 있었다. 잠자는 외판원이었다.
〈맙소사, 자명종이 안 울렸나? 다음 기차는 여섯 시에 있다. 그런데 견본도 아직 꾸려 놓지 않았다!〉

「그레고르, 안 갈 거니?」
「네, 고마워요, 어머니. 지금 일어나고 있어요.」
여동생이 하소연하듯이 물었다. 「오빠, 별일 없어요?」
그는 그가 밤에 항상 문을 잠그고 자는 것을 다행으로 여기고 있었다.

「그레고르, 제발 문을 열어라!」 그의 어머니는 다그쳤다.「지배인이 직접 가게에서 왔다.」
「당신은 부모님에게 심각한 걱정을 끼치고 업무상의 의무를 전례 없는 방식으로 태만히 하고 있어요.」

「문을 열고 있어요.」
그레고르가 자물쇠에 꽂혀 있는 열쇠를 입으로 물고 돌리자 문이 열렸다.「제발, 제발, 도와주세요!」 어머니는
기절했고, 지배인은 계단으로 도망쳤다.

높은 천장과 텅 빈 방은 그를 두려움으로 가득 채웠다. 그는 더 안전하다고 느낀 이불 속으로 숨었다. 이른 아침이면, 여동생이 문을 열고 발끝으로 다가와 바닥에 음식 그릇을 내려놓고 나간 뒤 다시 문을 잠갔다.

그레고르는 매일 음식 찌꺼기를 얻었지만, 점점 더 적게 먹었다. 때때로 기억이 머릿속을 스쳐 지나가곤 했다. 몇 년 전 아버지가 파산한 뒤, 그레고르는 외판원이 되어 가족을 부양하기로 결심했다. 그는 항상 부모님께 월급을 드리고 여동생이 음악을 공부할 수 있도록 저축을 해왔다.

다른 생각이라도 해보려고, 그레고르는 벽과 천장을 가로질러 기어다니는 버릇을 갖게 되었다. 천장에 매달려 있는 것을 특히 좋아했다. 여동생은 그레고르가 좀 더 쉽게 기어다닐 수 있도록 방 안에 있는 모든 가구를 치웠다.
「아무것도 가져가지 말아 줘! 책상을 내게서 빼앗아 가면 안 돼!」

「세상에!」 어머니는 더 이상 그레고르의 모습을 견딜 수 없었다. 여동생은 주먹을 휘두르며 거리를 유지했다. 그러자 곧 그의 아버지가 도착했다. 「내가 그러지 말라 했지.」 무언가가 그레고르에게 상처를 냈는데, 그것은 그의 등에 끔찍하게 박혔다. 아버지가 던진 사과였다.

저녁이면 은행에 취직한 아버지는 퇴근 후 안락의자에 앉아서 졸았다. 그의 어머니는 고급 내의를 바느질했다. 그의 여동생은 낮에는 가게에서 일하고, 언젠가 더 나은 직장을 얻기 위해 프랑스어와 속기를 배웠다. 아침이면 집에서 가장 힘든 일을 도맡아 하는 파출부가 오곤 했다. 그녀는 청소를 하러 그레고르의 방에 들어가서는 〈비켜, 이 늙은 말똥구리야!〉라고 말하곤 했다.

이 가족은 세 명의 신사에게 거실을 빌려주었다. 어느 저녁, 그레고르의 여동생이 그들을 위해 바이올린을 연주하기 시작했다. 열린 문틈 사이로 들리는 음악에 이끌려 그레고르는 거실로 나왔다.
「잠자 씨, 이 집의 상황이 매우 불쾌하군요. 우리는 떠나겠습니다.」

「이렇게 계속 살 수는 없어요.」여동생이 말했다. 「우리는 저것을 없애 버려야 해요.」그레고르가 놀라 황급히 방으로 들어가자 문이 다시 잠겼다. 방 안에서 그는 오랫동안 가족에 대한 기억에 잠겨 있다가 고개를 떨구고 말았다. 다음 날 아침 파출부가 그레고르의 방에 들어섰다. 「어서 와보세요! 이게 완전히 뒈졌다니까요!」

그레고르의 아버지는 세 명의 신사를 집 밖으로 내쫓은 뒤, 파출부도 해고하기로 결정했다. 가족은 몇 달 만에 처음으로 전차를 타고 교외로 산책을 나갔고, 새로운 계획을 세우기 시작했다. 그들은 더 저렴한 아파트를 구하고, 딸을 위한 착실한 신랑감을 찾을 것이다. 목적지에 도착하자 딸이 먼저 일어나 젊은 육체를 쭉 폈다.

직장인 카프카의 기록

카프카의 작품은 권력 기관과 권력자가 행사하는 힘에 의한 억압적인 분위기와 그 권력이 힘없는 시민을 파멸시킬 수 있다는 서사로 가득 차 있다. 흔히 이런 분위기를 카프카의 성격이나 보험 공사에서 일하던 시기의 불만과 연관 지어 생각하게 되는데, 카프카의 편지들이나 막스 브로트의 회고록이 그 근거가 되기도 한다. 카프카가 작품에서 자신을 그려 내는 문장들이 카프카에 대해 오판하게 할 수 있지만, 실제로 카프카는 직업적 이해도도 높고, 성실하게 자신의 책무 이상을 해냈던 사람이었다.

　그는 1908년에 이탈리아 보험사인 〈아시쿠라초니 제네랄리〉에 입사하며 사회생활을 시작했고, 업무에 만족하지 못하여 1년이 갓 지난 후 나 포리치 거리에 위치한 산재 보험 공사로 이직한다. 그 회사에서 1922년까지 여러 번 승진을 거듭하고, 마지막에는 사내 최고 직위인 수석 서기관까지 승진했다. 그의 병약함과 더불어 1914년 제1차 세계 대전 징집 대상에서 제외되는 사유가 될 정도의 고위직이었다.

　카프카는 동료들에게도 인기가 많았으며, 그의 수많은 편지 속에 드러난 혐오의 정신은 업무에 드러나지 않았다.

제게 일자리는 저 자신의 유일한 갈망이자 유일한 직업인 문학과 모순되기 때문에 견뎌 내기가 힘이 듭니다. 저는 문학 외에는 다른 그 무엇도 아니며, 다른 그 무엇일 수도 없으며, 다른 무엇이기를 원하지도 않습니다.
—1913년 8월 21일, 카프카의 일기 중

그가 자신의 직업을 견디지 못했던 것은 어떤 일을 하느냐의 문제가 아니었고, 그 직업이 〈작가〉라는 그의 소명에 반한다는 사실 때문이었다.

　1918년 건국된 체코슬로바키아 공화국은 체코어를 공용어로 제정했는데, 카프카가 당시 체코어로 작성한 공식 문서 몇 점이 보존되어 있다. 이밖에 희귀하게 보존된 사적인 편지 몇 점으로 미루어 보면, 카프카는 체코어에도 능통했다. 또한 보존된 출장 기록 중 하나에는 북보헤미아 지역 출장 때 공장 작업자들의 안전 점검을 목적으로 방문했던 시찰 내용과 점검이 제대로 이뤄지지 않아 부상 사고를 냈던 기계들에 대한 개선 제안이 담겨 있다. 일부이긴 하지만 이러한 문서들은 카프카의 문학적 유산 중 특기할 만한 자취를 남겼다.

막스 브로트와 함께한 여행

카프카는 이직 이후 더 많은 휴가를 보장받았고, 종종 여행도 떠날 수 있었다. 1909년에서 1911년 사이 막스 브로트와 함께 프랑스, 독일, 이탈리아, 스위스로 여행을 떠났다. 브로트와의 여행은 그의 작품에 있어 영감의 원천이었을 뿐 아니라 프라하에서의 고립감을 완화하는 데도 도움이 되었다. 한 번은, 이탈리아 브레시아에서 개최된 국제 에어쇼에 대해 작성한 보고서가 프라하에서 발행된 잡지『보헤미아』에 실리기도 했다. 이는 독일 문학에서 비행기를 소재로 삼은 최초의 기록이다.

아직 커티스는 비행을 끝내지 않았다. 마치 감격스러운 듯 세 개의 격납고에서는 엔진들이 움직이기 시작했다. 바람과 먼지가 반대 방향에서 덮쳐 온다. 두 눈으로는 충분하지 않다. 관중들은 의자에 앉아 몸을 돌리기도 한다. (…) 이탈리아 가을의 이른 저녁이 시작된다. 경기장에 있는 모든 것을 더 이상 또렷하게 볼 수 없다.
─1909년, 카프카가 쓴「브레샤의 비행기」중

카프카와 막스 브로트는 후에 서로의 시선을 비교할 수 있도록 자신들의 경험을 동시에 각자 일기로 기록했다. 귀국 후 카프카는 두 사람이 함께한 여행에 대한 소설 집필을 시작했으나, 그의 많은 작품들이 그러하듯이 미완성으로 남았다.

　　카프카는 언제나 여행을 철저히 준비했는데 이는 막스 브로트도 마찬가지였으며, 그의 책『프라하 서클』에서 그들의 여행을 다음과 같이 회상했다.

첫 여행을 떠나는 기차역에서, 나는 그를 놀라게 해줄 목적으로 갈색 노트를 내밀었다. 물론 내 것도 하나 준비했다. 〈우리 동시에 여행 일기를 써보자〉라고 결의에 찬 목소리로 말했다. 기쁘게도 카프카 역시 기꺼이 동의했다.

커티스가 승리의 비행을 끝낸 후 이쪽을 보지도 않고 약간 미소를 지으면서 모자를 벗고
지나가는 바로 그때, 블렐리오는 작은 원을 그리며 비행하기 시작한다. 우리는 모두 이미
예전에 그가 작은 원을 그리며 비행할 수 있다고 믿었다. 박수갈채를 보낼 상대가
커티스인지, 아니면 블렐리오인지, 아니면 정말 루지에인지 알 수 없다. 루지에의 크고
무거운 비행기는 이제 하늘로 급히 날아오른다. 루지에는 마치 책상 앞에 앉은 선생처럼,
조종간 앞에 앉아 있다. (…) 그는 짧은 회전을 몇 번 거듭하다가 날아오르더니,
블렐리오보다 높이 날아, 그를 구경꾼으로 만들며 상승하기를 멈추지 않는다.

─1909년, 카프카가 쓴 「브레샤의 비행기」 중

카프카와 병:
내 머리는 내 등 뒤에서 폐와 공모했다

약 3주 전쯤 한밤중에 각혈을 했거든. 새벽 네 시쯤 잠을 깼는데 입안에
이상할 정도로 침이 많이 고여 있는 거야. 의아하게 생각하며 침을 뱉었지.
그러고는 불을 켰어. 놀랍게도 한 뭉텅이의 핏덩어리가 아니겠니. 지금 드디어
시작됐어. 게운다는 것이 올바른 표현인지는 몰라도 목구멍에서 이렇게 피가
솟구치는 것에 대한 적절한 표현이긴 해. 그칠 것 같지가 않아서 자리에서
일어나 방 안을 헤매다가 창으로 가서는 밖을 내다보다 다시 제자리로
돌아왔어. 그때까지도 여전히 계속 각혈을 했어. 결국 멈추긴 했지. 그러고
나서 잠이 들었는데, 정말 오랜만에 푹 잤어.
—1917년 8월 29일, 동생 오틀라에게 쓴 편지 중

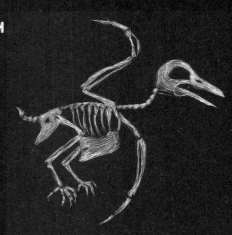

1917년 8월 중순, 카프카는 각혈을 시작했다. 이는 〈갉아먹히는 병〉이라
불리기도 했던 폐결핵의 초기 증상이었다. 당시 폐결핵은 사실상
불치병이었고, 불행히도 유행성 질병이었기에 주로 허약한 체질의
사람들에게 번져 가고 있었다.

　　카프카는 이 병의 원인을 자신의 정신적인 문제에서 찾았으며, 다음과
같이 말하기도 했다. 〈내 머리는 내 등 뒤에서 폐와 공모했다.〉
그는 이후 7년간 투병했고, 이 시간은 그의 삶에 큰 굴곡을 남긴다. 프라하를 떠나 많은 시간을 보낼 수밖에 없었으며,
회사에 재차 사직을 요구했으나 묵살당했다. 회사에서 그는 대체 불가능한 존재였다.

　　처음에 카프카는 자신의 병을 부모님께 말하지 않았다. 여동생 오틀라가 가족 중 처음으로 이 비참한 소식을 알게
되었다. 마침내 병가를 얻은 카프카는 형부의 땅인 시르젬 지역 농장에서 농사를 짓던 오틀라와 함께 시간을 보낼 수
있었다. 그곳에서 카프카는 소박한 시골 농부들과 만나게 되었고, 그들과 밭에서 일하고 나무를 패는 고된 삶을 공유하며
계속해서 작품 집필을 이어 나갔다. 1931년 막스 브로트에 의해 출간된 그의 작품 『취라우 잠언집』에 특기할 만한 당시의
생각이 담겨 있다. 그중 한 구절을 옮긴다.

나는 새장이다. 새를 갈구하는.

시르쳄에서 돌아온 후, 카프카는 더 이상 전통적인 의학 치료를 거두일 상황이 아니라는 현실을 점차 받아들여야만 했다. 게다가 당시 유럽을 강타한 스페인 독감과도 싸워야 했다. 요양원에서 치료를 받기 시작한 뒤, 멜니크 근처에 위치한 젤리지에서 율리 보리체크를 만났고, 이후 1920년에는 이탈리아 남부 산악 지역 메라노에 위치한 리조트로 이동했다. 밀레나 예센스카와의 수많은 편지 왕래가 대부분 메라노에서 머물던 시기에 이뤄졌다. 잠시 업무차 프라하에 돌아온 후, 다시 슬로바키아의 마틀리아레 온천으로 요양을 떠났다. 어떤 치료를 받았을까? 낮 시간 대부분을 호텔 테라스에서 일광욕을 하며, 건강한 식단을 유지하는 정도였다.[9] 카프카는 주로 책을 읽고 편지를 주고받는 것으로 시간을 보냈다.

그대의 시간표를 보내 줘서 정말 기쁘오. 나는 그게 마치 무슨 지도라도 되는 양 연구하고 있고, 어쨌든 확실한 게 하나 생겼고. 하지만 두 주 안에는 절대로 못 갈 것 같소. 아마 그보다도 더 늦을 것 같소. (…) 지금까지는 아주 호의적인 답변을 해왔던 요양원에서도 내가 채식에 대해 질문한 뒤로는 아무 소식이 없소. (…) 사실 여행이 거의 두렵기까지 하오. 예를 들어 내가 만약 어제 그랬던 것처럼(어제는 몇 년 만에 처음으로 9시 15분에 일찌감치 잠자리에 들었소) 9시 15분부터 11시가 다 될 때까지 쉬지 않고 기침을 해대다가 겨우 잠이 들었는데 12시쯤에 왼쪽에서 오른쪽으로 돌아눕다가 또다시 기침을 하기 시작해서 1시까지 계속해 댄다면, 호텔에서 어느 누가 나를 참아 주겠소. 작년에는 침대차로 편안하게 여행을 했었는데, 이 상태로는 감히 침대차를 탈 엄두를 못 내겠소.

─1920년 10월 27일, 밀레나에게 쓴 편지 중

낡은 문서

카프카의 단편소설 「낡은 문서」는 단편집 『시골 의사』에 수록되어 있다. 이 소설은 이질적이고 포악한 유목민에 의해
수도가 점령당하는 이야기로 알 수 없는 생소한 권력 앞에서의 무력감으로 가득하다. 심지어 제목조차도 혼란스럽다. 아주
먼 과거의 기록 문서일까? 아니면 소설에 등장하는 황제의 모습에서 오스트리아-헝가리 제국이 무너지던 시기의 마지막
황제를 떠올려야 할까? 각자의 시대에 따라 해석할 수 있을 것이다.

우리는 조국을 방어하는 데 상당히 소홀했던 것 같다. 지금까지 조국 방어에 신경 쓰지 않고 생업에만 몰두했다. 최근
여러 사건은 우리를 불안하게 만든다.
    나는 황궁 앞 광장에 구두 수선 가게를 갖고 있다. 동틀 무렵 가게 문을 열자마자 나는 이쪽으로 연결되는 모든
골목의 입구가 무기를 소지한 자들에 의해 이미 점령당한 것을 보게 되었다. 하지만 그들은 우리 병사가 아니라
북쪽에서 온 유목민이 분명했다. 내가 알지 못하는 방법으로 그들은 국경에서 상당히 떨어진 이 수도까지 밀고
들어왔다. 어쨌든 그들은 여기 와 있고, 매일 아침 그 수가 불어나는 것 같다.

그들은 천성대로 노천에서 야영을 한다. 집 안에 묵는 것을 꺼리기 때문이다. 그들은 칼날을 벼리고, 화살촉을 뾰족하게 갈고, 말을 훈련시키는 데 전념한다. 언제나 지나칠 정도로 깨끗이 유지되던 이 조용한 광장을 그들은 완전히 마구간으로 만들어 버렸다. 우리는 가끔 가게 밖으로 나가 가장 더러운 배설물만이라도 치워 보려 하지만, 그런 노력이 소용없을 뿐 아니라, 사나운 말에 깔리거나 채찍에 상처를 입는 위험에 노출되기 때문에 그마저도 점점 안 하게 된다.

유목민들과는 말을 할 수 없다. 그들은 우리의 언어를 알지 못한다. 그들은 자신들의 언어도 갖고 있지 않다. 서로 까마귀처럼 의사소통을 한다. 이런 까마귀들의 외침이 사방에서 끊임없이 들려온다. 그들은 우리의 생활 방식, 우리의 제도를 이해도 못하고 관심도 없다. 그래서 어떤 신호 언어에 대해서도 거부감을 보인다. 당신의 턱이 빠지고 손목이 비틀린다 하더라도 그들은 어차피 당신을 이해하지 못하고 앞으로도 결코 이해하지 못할 것이다. 그들은 종종 인상을 쓴다. 그러면 눈의 흰자위가 돌아가고 입에서는 거품이 솟는다. 뭔가를 말하려 한다거나 겁을 주려는 것은 아니다. 그게 그냥 그들의 방식이기 때문에 그렇게 할 뿐이다. 그들은 필요한 것은 취한다. 그들이 폭력을 사용한다고 말할 수는 없다. 그들이 손대기 전에 사람들은 비켜서서 그들에게 모든 것을 내맡기니 말이다.

그들은 내가 가진 것 중에서도 좋은 것을 많이
가져갔다. 그렇지만 한 예로 길 건너 푸줏간 주인에게
어떤 일이 일어났는지 보면 내가 당한 일을 불평할 수
없다. 그가 물건들을 들여오기 무섭게 유목민들은 모두
빼앗아서 꿀꺽 삼켜 버린다. 유목민들의 말들도 고기를
먹어 치운다. 종종 어떤 기마병은 자기 말 옆에 누워서
말과 함께 같은 고기 조각을, 각자 서로 다른 쪽 끝을
뜯어먹는다. 푸줏간 주인은 겁에 질려 감히 고기 공급을
중단하지 못한다. 우리는 그러는 것을 이해하고, 다 같이
돈을 거둬 그를 도와준다. 유목민들이 고기를 얻지 못할
경우 무슨 일을 저지르려 할지 누가 알겠는가. 하지만
설령 그들이 매일 고기를 얻는다 하더라도 어떤 생각을
할지 그 또한 누가 알겠는가.

마침내 푸줏간 주인은 적어도 도축하는 수고는
덜어 보자는 심산으로 아침에 살아 있는 황소 한 마리를
끌고 왔다. 그가 이런 일을 다시 반복해서는 안 된다.
나는 오로지 황소가 울부짖는 소리를 듣지 않기 위해
족히 한 시간은 내 작업장의 가장 후미진 구석 바닥에
누워 내 옷 전부와 이불 그리고 방석들을 몸 위로 쌓아
올렸다. 유목민들은 이빨로 황소의 따뜻한 살점을
물어뜯기 위해 사방에서 황소를 향해 덤벼들었다.
주위가 조용해지고 한참이 지나서야 비로소 나는
밖으로 나가 볼 엄두가 났다. 포도주 통 주변의
술꾼들처럼 그들은 뜯어 먹고 남은 황소 주위에 지쳐
널브러져 있었다.

바로 그때 나는 궁전의 창문에서 황제를 본 것 같다. 황제는 평소에 절대로 이 바깥쪽 방으로 나오지 않는다. 그는 언제나 가장 안쪽의 정원에만 머무른다. 그러나 이번에는 황제가 창가에 서서 고개를 숙이고 자신의 성 앞에서 벌어지는 일을 바라보고 있었다. 적어도 내게는 그렇게 보였다.

「이제 어떻게 될까?」 우리 모두는 자문한다. 「얼마나 오랫동안 이 부담과 고통을 참아 내야 하는가? 황제의 궁궐이 유목민을 끌어들였다. 그러나 그들은 다시 몰아내는 방법을 알지 못한다. 성문은 닫힌 채로 있고, 예전에는 항상 성대하게 들고 나던 보초병들은 창살이 씌워진 창문 뒤에서 꼼짝하지 않는다. 조국을 구하는 일이 우리 수공업자나 상인들에게 맡겨져 있다. 그러나 우리는 그런 임무를 수행할 능력이 없다. 또한 그럴 능력이 있다고 자랑한 적도 없다. 그건 오해이다. 그 오해 때문에 우리는 몰락한다.」

베를린, 다시 프라하

1922년 7월 1일, 카프카는 마침내 사표가 수리되어 연금을 받고 은퇴한다. 이 소식은 당시 체코의 요양 리조트 플라나 나트 루슈니치에서 머물던 카프카에게 전해졌다. 마사리크 대통령이 요양차 묵었던 곳으로 유명했던 그 리조트는 소음으로 인해 매우 고통받고 있던 카프카에게 별 도움이 되지 못했고, 여러 차례 신경 쇠약에 시달리던 끝에 소설 「성」의 집필을 중단하기에 이르렀다. 다시 프라하로 돌아온 후, 그의 유일한 버팀목은 이 갑갑한 도시를 떠날 수 있으리라는 기대뿐이었다. 이때 도라 디아만트를 만나 함께 베를린으로 이주했으나, 몇 달 후 카프카의 건강은 심각한 수준으로 악화되었다.

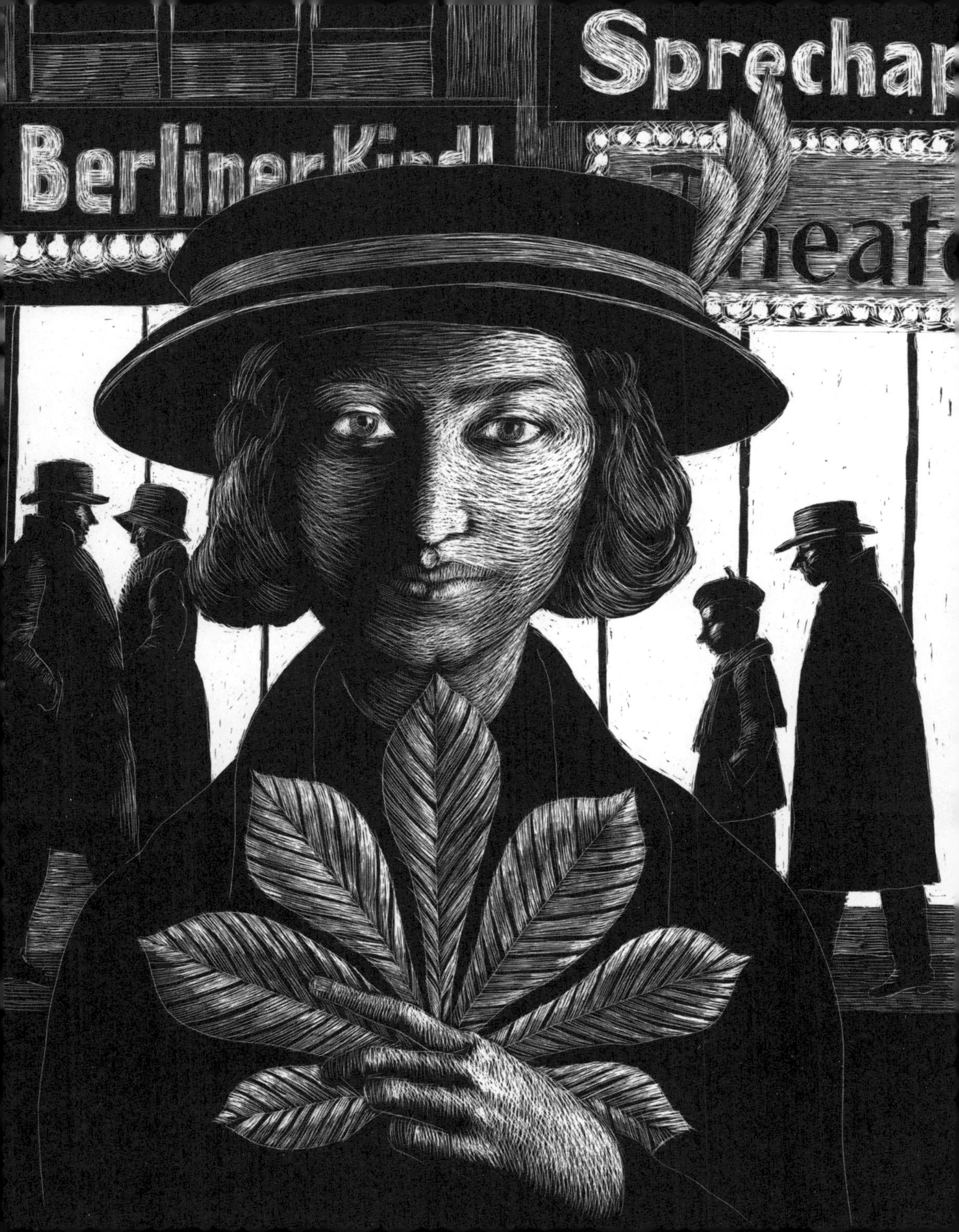
Sprechap
Berliner
heat

1924, 카프카의 마지막

1924년 3월, 삼촌 지그프리트와 절친한 친구 막스 브로트의 설득 끝에 카프카는 프라하로 돌아왔다. 그 후 그는 오스트리아의 여러 곳의 요양소에 연달아 보내졌다. 그는 후두 결핵을 진단받았고, 거의 먹을 수도, 마실 수도, 말할 수도 없을 정도로 병세가 악화되었다. 도라는 그의 곁을 지키며 함께 그의 가족에게 보낼 편지를 쓴다. 6월 3일, 카프카는 빈 근처의 키어링 요양소에서 숨을 거둔다.

사랑하는 부모님, 어머니와 아버지께서 가끔 편지에서 말씀하시는 방문에 대해 말씀드리려 합니다. 그것을 저는 매일 곰곰이 생각합니다. 제게는 매우 중요한 일입니다. (⋯) 게다가 제가 요즘 말이라고 하긴 하지만 남들이 알아듣지 못한다는 사실과 이런 말조차 너무 자주 해서는 안 된다는 사실을 감안하신다면 어머니, 아버지께서도 방문을 연기하고 싶으실 겁니다. 모든 일이 저에게 긍정적인 조짐을 보이기 시작합니다. 최근에는 어떤 의대 교수 한 분이 저의 후두 상태가 아주 좋아졌다고 말씀해 주셨습니다. (⋯) 말씀드린 대로 모든 일이 저에게 긍정적입니다만 눈에 띌 정도는 아닙니다. 왜냐하면 뚜렷하고, 부인하기 어렵고, 보통 사람의 눈으로도 알아챌 수 있을 정도로 병의 차도를 보여 줄 수 없을 바에는 차라리 손님을 받지 않는 게 나을 겁니다. 그러니 사랑하는 부모님, 잠시 계획을 미뤄 두면 어떨까요?
―1924년 5월 19일, 부모님께 쓴 편지 중

[도라가 쓴 내용]
그의 손에서 편지를 가져왔습니다. 지금 상태로는, 편지를 쓰는 것도 대단한 겁니다. 단 몇 줄이라도 그가 애원한 걸 보면, 정말 그냥 넘길 말이 아니라고 생각합니다.

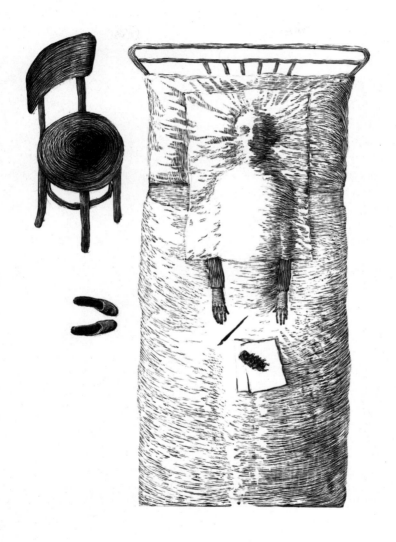

끝에서 계속되는 이야기

카프카는 1924년 6월 11일 프라하 교외에 위치한 스트라슈니체에 있는 신 유대인 공동묘지에 안장되었다. 그의
사후 유족들은 슬픔으로 무너진 도라에게 마치 그녀가 법적인 배우자인 듯 인세를 보냈다. 장례 일주일 후 프라하의
한 소극장에서는 카프카의 작품 중 발췌한 글을 낭독하는 추도식이 열렸다. 1백 명이 넘는 사람들이 참여했다. 그의 사망을
기리는 몇몇 부고 중 가장 주목할 만한 것은 밀레나 예센스카의 글로 체코 국영 신문 『나로드니 리스트』에 실렸다.

그제 빈 근교의 클로스터노이부르크 근처에 위치한 키어링 요양소에서 프라하의 독일어 작가인 프란츠 카프카 박사가
사망했다. 여기에서는 그를 아는 사람이 극히 적었다. 그는 자기만의 길을 가는 사람이었기 때문이다. 현자였으며, 또한
세상을 두려워하던 사람이었다. 그는 벌써 몇 년 전부터 폐결핵을 앓고 있었다. 그는 병을 고치려고 노력하기는
했지만, 한편으로는 의도적으로 병을 키우고 내심 장려하기도 했다. 영혼과 마음이 더 이상 짊어지지 못하게 되자,
짐이 적어도 좀 고루 나뉠 수 있도록 하기 위해 폐가 그 짐의 반이라도 짊어지기로 했다고 그는 언젠가 한 번 편지에
쓴 적이 있다. 그의 병은 그 결과였다.

　　그는 소심하고, 두려움이 많고, 부드럽고, 착한 사람이었다. 하지만 그가 쓴 책들은 잔인하고 고통스러웠다. 그는
세상이 무방비 상태의 인간들을 찢고 파괴하는 보이지 않는 악령들로 가득 차 있는 것을 보았다. 그는 너무나도
형안이 밝고, 너무나 현명했기 때문에 살 수가 없었다. 그는 싸우기에는 너무나 연약한 사람이었다. 고귀하고 아름다운
사람들이 그렇듯이 그는 너무나 약해서, 몰이해와 비정함과 지성적 거짓에 대한 두려움과 싸워 낼 힘이 없었던 것이다.

그의 작품들은 모두 인간들 사이에서 일어나는 불가사의한 몰이해, 그리고 죄 없이 저지른 잘못 등으로 인해 야기되는 끔찍한 전율을 묘사하고 있다. 그는 다른 사람들은 아무것도 듣지 못하고, 그래서 자신들이 안전하다고 믿고 있는 그곳에서조차 어떤 소리를 들을 수 있을 정도로, 그토록 섬세한 양심을 가지고 있었던 예술가요, 인간이었다.

카프카의 가족은 모두 비참한 최후를 맞았다. 세 명의 여동생은 모두 유대인 강제 수용소에서 사망했다. 오틀라는 유대인이 아니었던 남편과 딸을 보호하기 위해 일부러 이혼한 뒤 나치 당국에 자수했다. 그녀는 테레진 게토에서 폴란드 출신의 1천여 명의 유대인 고아들을 동쪽으로 수송하는 일에 자원하여 그들과 동행했다. 1943년 10월, 아이들과 함께 기차에 오른 오틀라는 아우슈비츠 수용소에 도착하자마자 나치에 의해 희생되었다.

오틀라의 딸 베라 사우드코바는 2015년 8월 3일 사망하기 전까지 여전히 어린 시절 삼촌에 대한 추억을 간직했고, 그녀의 아들 보이데흐 사우데크 카프카의 작품 「가족에게 보내는 편지」 중 일부를 번역, 편집하여 출간했다.

카프카를 둘러싼 전설 또는 소문

카프카가 자신의 작품을 읽으며 자주 껄껄 웃곤 했다는 것을 동시대 지인들의 회고를 통해 알 수 있다. 아마도 그의 인생과 작품을 둘러싼 전설과 허구들에 대한 웃음이었을 것이다.

카프카는 막스 브로트에게 자신이 죽은 뒤 미출간된 작품들을 모두 태워 달라고 거듭 부탁했다. 그러나 친구 막스 브로트는 정확히 반대로 행동했다. 그는 카프카의 문학 작품뿐 아니라 일기, 편지, 전기 등을 출간했고, 카프카가 오늘날 세계 문학에서 지닌 신화적 위치에 오르도록 주도적인 역할을 했다.

카프카의 작품은 1930년대 들어 영어와 프랑스어로 번역되면서, 진정한 의미의 명성을 얻기 시작했다. 이후 문학 평론가는 물론 정신 분석가, 철학자, 종교 해설가에 이르기까지 카프카가 남긴 유산에 대해 각자 나름의 관점으로 해석해 왔다. 이러한 극단적인 다의적 모호성이야말로 카프카의 글이 지닌 위대함이다. 모두가 각자의 방식으로 이해할 수 있고, 다방면에서 시대를 초월하기도 하며 동시대성 역시 지니고 있다.

프란츠 카프카는 미디어를 사로잡는 매력적인 아이콘이자 브랜드로 부상했다. 오로지 카프카의 명성을 이용하려고 했던 자들도 있었는데, 그중 하나는 약혼자 펠리체 바우어의 친구이자 생전 지인이었던 그레테 블로흐였다. 1940년, 그녀는 카프카와 자기 사이에 아들이 하나 있었고, 위탁 보호소에 맡긴 뒤 1920년대 초 사망했다는 이야기를 퍼뜨렸지만, 문학사가들은 완전히 날조된 이야기라 여긴다.

카프카의 사후 명성은 그의 짧은 생애 동안 알고 지냈던 두 사람에 의해 또 이용당한다. 한 사람은 체코 무정부주의 운동을 이끌었던 저널리스트이자 작가인 미할 마레시였다. 그의 회고록에서 카프카는 『훌륭한 병사 슈베이크』의 작가인 야로슬라프 하세크와 내통한 좌익 지식인으로 묘사된다. 또 다른 사람은 구스타프 야누흐로, 그는 더 교묘하게 속임수를 썼다. 1951년 출간된 야누흐의 작품 『카프카와의 대화』에서 그는 카프카와 매우 친한 사이였음을 주장하며, 날조임이 분명한 자신의 말을 마치 카프카가 한 말인 것처럼 꾸몄다. 이 두 사람 덕에 카프카 연구자들은 시간을 허비하게 되었는데, 두 사람이 남긴 기록은 교활한 문학적 위조로 여겨진다.

단식 광대

단편소설 「단식 광대」는 카프카의 후기작으로 1922년 한 저널에 처음 실렸다. 일부 연구자들은 카프카의 투병 시절에 형성된 음식에 대한 문제적 시각이 이 소설에 영향을 미쳤다고 본다. 이 시기의 다른 작품들과 마찬가지로, 「단식 광대」는 예술의 창조적 성취에 대해 대중이 얼마나 잔인한 몰이해를 가질 수 있는지 묘사한다. 혹시 카프카는 그의 사후에 독자와 연구자들이 자신의 작품이 지닌 의미를 찾아 헤매느라 분주한 시대가 올 것을 알았을까?

예술은 길다!

그때는 지금과는 다른 시절이었다. 당시에는 도시 전체가 단식 광대에게 뜨거운 관심을 보였다. 누구나 적어도 하루에 한 번은 단식 광대를 보려고 했다. 공연 막바지 며칠 동안에는 하루 종일 조그만 격자 창살 우리 앞에 죽치고 앉아 있는 예약자들도 있었다.

날씨가 좋은 날에는 우리가 야외로 옮겨졌으며, 그러면 특히 어린 아이들이 모여들어 단식 광대를 구경할 기회를 가졌다. 자신이 얼마나 여위었는지 만져 볼 수 있도록 창살 너머로 팔을 내뻗었다. 그곳에는 뜨내기 구경꾼 말고 관객이 뽑은 상시 감시인들도 있었다. 이상하게도 그들은 대개 도축업자였는데, 언제나 세 명씩 짝을 지어 단식 광대가 혹시라도 남몰래 음식을 먹지 못하게 밤낮으로 감시하는 임무를 맡았다.

가끔 밤에 일을 아주 소홀히 하는 감시인 그룹도 있었다. 그들은 의도적으로 멀리 떨어진 구석에 모여 앉아 카드놀이에 열중했는데, 이로써 단식 광대에게 간단한 음식을 허용하겠다는 의도를 노골적으로 드러냈다. 그들 말로는 단식 광대는 몰래 숨겨 놓은 저장품에서 음식을 꺼내 올 수 있었다. 그는 가끔 자신의 약점을 극복하고, 사람들이 자신을 의심하는 일이 얼마나 부당한지를 보여 주기 위해 이 감시 기간 동안 감당할 수 있는 만큼 노래를 불렀다.

그는 창살에 바투 앉아, 홀의 어두침침한 야간 조명으로는 만족하지 못하고 공연 매니저에게 받은 회중 전등을 자신에게 비추는 감시인들이 훨씬 좋았다. 눈부신 불빛도 그에겐 전혀 방해가 되지 않았다. 물론 그는 제대로 잠을 잘 수 없었지만, 어떤 조명이나 어떤 시간에도, 심지어 사람들이 가득 찬 떠들썩한 홀에서도 언제나 약간 꾸벅꾸벅 졸 수 있었다.

누구도 단식 광대 옆에서 밤낮으로 끊임없이 감시하면서 보낼 수는 없었다. 그러므로 누구도 직접 관찰을 통해 단식이 실제로 중단 없이, 실수 없이 이루어지는지 알 수 없었다. 단식 광대 자신만이 그것을 알 수 있었고, 그래서 그만이 자신의 단식에 완전히 만족한 관객일 수 있었다. 단식이 얼마나 쉬운 일인지 아는 사람은 그 자신뿐이었고, 다른 알 만한 사람들은 이 사실을 알지 못했다. 단식은 세상에서 가장 쉬운 일이었다.

서는 단식의 최장 기간을 40일로 정해 놓았고, 어떤 대도시에서도 그 이상은 단식을 못하게 했는데, 물론 그럴 만한 이유가 있었다. 경험에 비추어 볼 때 선전을 점차 강화해서 한 도시의 관심을 한층 더 면 40일 정도의 기간이 적당했다. 하지만 그 기간을 넘어서면 관객은 흥미를 잃기 시작했고, 호응이 눈에 지는 것을 확인할 수 있었다. 40일째가 되는 날에는 꽃으로 장식된 우리의 문이 열렸고, 열광하는 관객이 을 가득 메웠으며, 군악대가 음악을 연주했다.

순간이 오면 단식 광대는 언제나 저항했다.

지난 바로 지금 단식을 중단해야 하는가? 그는 앞으로도 오랫동안, 무제한 오래 버틸 수 있을 것이다. 그런데 고의 단식에 도달하지 못한 바로 지금 중단해야 하는가? 사람들은 왜 그가 단식을 계속해서 모든 시대를 위대한 단식 광대가 될 수 있는 명예와 어쩌면 그가 이미 그런 단식 광대일지 모르지만, 게다가 믿기 의 경지까지 자신을 뛰어넘을 수 있는 명예를 빼앗으려 하는가?

응석받이가 된 단식 광대는 어느 날 자신이 즐거움을 추구하는 대중에게 버림받은 것을 알게 됐다. 대중은 대신 다른 공연들을 보러 몰려갔다.
그래서 그는 둘도 없는 인생의 동반자였던 공연 매니저에게 작별을 고하고, 한 대형 서커스단에 고용됐다. 그는 자신의 예민한 감수성이 다칠까 봐 계약 조건은 거들떠보지도 않았다.

관객들이 공연 휴식 시간에 동물을 구경하러 우리로 몰려올 때면, 그들은 어쩔 수 없이 단식 광대 곁을 지나가면서 잠시 그곳에 멈춰 설 수밖에 없었다. 만약 그 비좁은 통로에서 보고 싶던 우리로 가는 도중에, 왜 자신들이 멈춰야 하는지를 이해하지 못하더라도 뒤에서 미는 사람들이 조금 더 오랫동안 편안하게 관찰할 수 있게 해줬다면, 사람들은 아마 그 곁에 더 오래 머물렀을지도 모른다.

서 풍겨 오는 악취, 밤중에 동물이 피우는 소란, 맹수에게 날고기를 운반하는 일, 먹이를 줄 때리 등이 그의 기분을 무척 상하게 하고 그의 마음을 계속 짓눌렀다는 사실은 사람들의 안중에 일 세심하게 바뀌던 단식 일수를 기록하는 작은 숫자판도 이미 오래전부터 그대로였다. 처음들조차 이 사소한 일이 싫증 났기 때문이다.

은 나날이 지나갔고, 그런 상태도 끝났다. 한번은 그 우리가 감독의 눈에 띄었는데, 감독은 사환들 있는 이 우리를 왜 썩은 짚이나 넣어 둔 채 여기에 방치하는지 물었다. 사람들이 막대기로 짚을 식 광대를 발견했다. 「아직도 단식을 하고 있는 거야?」 감독이 물었다. 「왜냐하면 저는 제 입에 맞기 때문입니다. 만약 제가 그런 음식을 찾아냈다면 괜히 소동을 벌이지는 않았을 것이고, 당신이 배불리 먹었을 겁니다.」 이것이 그의 마지막 말이었다.

「자, 이제 처리하지!」 감독이 말했고, 사람들은 단식 광대를 짚 더미와 함께 묻어 버렸다. 그리고 그들은 그 우리에 젊은 표범 한 마리를 집어넣었다.

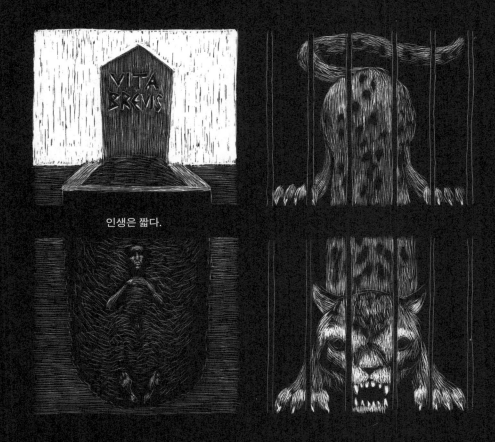

인생은 짧다.

표범은 자유를 전혀 그리워하는 것 같지 않았다. 거의 터질 정도로 필요한 모든 것을 갖춘 표범의 고귀한 몸뚱이는 자유까지도 함께 지니고 다니는 것 같았다. 표범의 아가리에서는 관객조차 견디기 힘든 뜨거운 열기와 함께 삶의 기쁨이 흘러나왔다.

프란츠 카프카의 소설

카프카의 일생 동안에는 단편소설과 단편집만이 출간되었고, 사후에야 비로소 출간된 세 편의 장편소설 덕분에 세계적으로 이름을 알리게 된다.「소송」,「성」,「실종자」, 이 세 편의 소설을 통해 그는 불가해한 세상에서 살아가는 현대인이 느끼는 소외감을 더욱 큰 폭으로 담아냈다.

「소송」은 1914년에 쓰였다. 원래는 제목이 없었던 원고로, 막스 브로트는 기존 원고의 순서를 바꾸고 카프카의 일기 중 한 구절을 제목으로 붙여 1925년 베를린에서 초판을 찍었다. 10개의 장으로 이뤄진 이 소설은 불명확한 시대적 공간적 배경에서 펼쳐지지만, 명백히 프라하를 연상시키며 주인공인 은행원 요제프 K는 많은 면에서 카프카를 떠올리게 한다.

요제프 K는 서른 번째 생일에 혐의도 모른 채 두 명의 집행관에게 체포되고, 재판 과정 내내 체포된 이유를 알아내지 못한다. 법원은 비정상적인 곳에(아파트 꼭대기 방) 있었고, 체포된 상태임에도 변론할 때를 제외하고는 자유롭게 돌아다닐 수 있었다. 처음에 그는 결백하다고 생각했으나, 점차 이상한 죄책감에 빠지게 된다. 우연히 성당에 방문한 그에게 신부는 유명하고 모호한 우화, 시골에서 온 사람과 법 앞의 문을 지키는 문지기에 대한 이야기를 들려준다. 서른한 번째 생일 전날 밤에 요제프 K는 다시 그의 아파트에서 체포된다. 두 명의 집행관은 그를 교외의 채석장으로 연행하여 즉결 심판 후 심장에 칼을 찔러 사형을 집행한다.

「소송」등의 후기 소설들은 1912년에서 1913년 사이에 썼던「실종자」와 마찬가지로 미완의 작품이다.「실종자」는 막스 브로트에 의해 1927년 〈아메리카〉라는 제목으로 출간했다. 이 소설의 주인공은 가족에 의해 미국으로 보내진 열여섯 살의 카를 로스만이란 소년이다. 이 소설은 신세계에 대한 카프카의 놀라운 상상력은 물론, 현대 사회가 만들어 낸 불안에 대한 설득력 있는 동시대적 이야기들을 담고 있다.

세 번째 소설「성」은 1922년에 쓰였고, 1927년 최초로 출간되었다. K라는 이름으로만 불리우는 주인공은 토지 측량사로, 성 바로 아랫마을에 도착한다. 그는 자신이 어떤 업무 때문에 오게 되었는지 파악하기 위해 관리들을 만나려고 하지만 번번이 실패하고, 관리인 클람에게 닿을 수조차 없었다. 그는 점차 성의 관료 시스템이 어떻게 돌아가는지 알게 되지만, 이 모든 노력에도 불구하고 그 안으로 들어가는 것은 불가능하다.

소설「성」역시 미완의 작품이며, K가 자신의 목적을 이뤘는지 여부는 결국 우리 상상의 몫이다.

2015년 6월, 이스라엘 사법부는 중요한 판결을 내렸다. 대법원은 카프카의 모든 문학적 유산을 지닌 막스 브로트 비서의 딸로 하여금, 모든 문서가 담긴 가방을 예루살렘의 국립 도서관으로 넘겨야 한다고 판결했다.[10] 이 문서에는 아마 미출간된 원고와 단편소설에 포함된 스케치 그리고 카프카의 알려지지 않은 드로잉들이 포함되어 있을 것이다. 우리는 또 다시 새로운 놀라움을 발견할 수 있을지도 모른다.

카프카 나라의 카프카

카프카는 체코 문화에 적응하기 어려워했다. 독일어로 작품을 썼을 뿐만 아니라, 권력이라는 기계에 갇혀 절망하는 개인들을 묘사하는 그의 능력은 나치와 공산당 모두의 심기를 건드렸다. 오랜 세월 동안 그의 작품들은 퇴폐적이라는 이유로 출간되지 않았다. 그러나 체코인들은 관료주의의 몰상식으로 인해 부조리한 상황에 빠지는 것을 〈카프카르나Kafkárna〉라는 용어로 지칭하며 사용해 왔다. 〈카프카르나〉는 카프카의 계승자로 평가받는 체코 작가 보후밀 흐라발의 단편소설 제목이 되기도 했다.

　　카프카가 체코 문학계에서 자리를 되찾는 과정은 그 자체로 카프카식의 이야기였다. 1957년이 되어서야 「소송」의 첫 번째 체코어 번역본이 출간되었고, 이어 다른 작품들도 번역되었다. 1960년대 들어 자유로운 분위기가 무르익으며,[11] 그의 작품에 대한 관심도 커져 갔다. 카프카에게서 영감을 받은 예술 작품들이 나오기 시작했으며, 그의 작품은 지하 출판의 형태로 암암리에 더 널리 퍼졌고, 이는 기존의 학자들로부터 더 많은 관심을 받게 하였다. 1963년 카프카를 주제로 리블리체성에서 열렸던 유명한 학술 회의에서 학자들은 사회주의 국가에서 그의 작품이 어떻게 읽고 해석될 수 있을지에 대해 치열하게 토론했다. 그들은 카프카가 동시대성을 가지고 있다는 결론에 이르렀고, 이 회의는 당시 체코슬로바키아에서 정치적·사회적 해빙기를 이끌어 낸 사건으로 남았다.

　　1968년 8월, 바르샤바 협정으로 구성된 군대가 체코를 점령한 후, 민주화를 위한 모든 노력들은 탄압받았다. 카프카의 작품은 다시 판금되었고, 공공 도서관에서도 사라졌다. 체코는 마치 카프카의 소설 속에서 나올 듯한 회색 안개와 이질적 공포의 장막에 덮여 버렸다.

작은 민족의 기억이라고 해서 큰 민족의 기억보다 작은 것은 아니다.
따라서 작은 민족의 기억은 그들의 소재를 훨씬 더 철저하게 소화할 수 있다.
ー1911년 12월 25일, 카프카의 일기 중

관광객을 위한 상품 K

1989년 벨벳 혁명[12] 후, 체코 내 카프카에 대한 관심은 자연스레 되살아났다. 바로 다음 해에는 프라하에 프란츠 카프카 협회가 설립되었고, 이 협회는 체코인과 독일인 그리고 유대인이 공존했던 전통의 정신을 계승하고자 했다. 카프카의 전집이 체코어로 번역되어 출간된 것을 시작으로 전 세계의 주요한 작가들에게 프란츠 카프카 상을 수여하기도 했다. 일본의 무라카미 하루키가 수상자 중 하나로, 유명한(그리고 아주 이상한) 소설『해변의 카프카』를 썼다.

　　매년 수백만 명의 관광객들이 프라하를 찾는 것은 단순히 카프카의 책 때문만은 아니다. 그의 카리스마와 문학적 아이콘으로서의 위상 등이 프라하와 박물관 그리고 모든 기념품에 투영되어 있는 것이다. 〈카프카의 프라하〉는 식상한 표현이 되었으며, 올샤니 공원 옆에 위치한 신 유대인 공동묘지에 위치한 카프카 가족묘는 휴일이면 모든 사람들이 사진을 찍고 가는 명소가 되어 버렸다. 이런 방문객들 중 과연 누가 카프카의 진정한 영혼을 들여다볼 수 있을까? 한 세기의 굴곡을 건너 무수히 쌓여 온 카프카에 관한 책들을 넘어, 누가 그를 이해할 수 있을까?

인형에게서 온 편지: 어느 아이의 기억 속 카프카

카프카의 연인이었던 도라는 카프카에 대한 인터뷰에서 두 사람이 베를린에서 보낸 그의 마지막 해에 있었던 흥미로운 에피소드를 언급했다. 1923년 어느 가을날, 집 근처인 슈테클리츠 지구의 한 공원에서 두 사람은 울고 있는 어린 소녀를 만났다. 무슨 일이 있느냐고 물었고, 소녀가 인형을 잃어버렸다고 대답하자 카프카는 바로 이렇게 말했다. 「네 인형은 여행을 떠났는데, 나에게 편지를 보내서 내가 잘 알고 있어.」

소녀는 그 편지를 보고 싶어 했고, 일면식도 없던 아저씨인 카프카는 마치 우체부가 된 듯 내일 반드시 편지를 가져다주리라 약속했다. 카프카는 매우 진지하게 3주 내내 인형이 쓴 편지를 써서 소녀의 인형에 대한 사랑을 지켜 줬다. 심지어 인형이 돌아오지 않는 명분을 만들기 위해, 해외에서 인형을 결혼시키기까지 했다. 몇 세대에 걸쳐 카프카 연구자들은 이 편지와 소녀를 찾았지만 여전히 그 흔적을 발견하지 못했다.

어떤 작가들은 여행 중인 인형을 대신해 카프카가 썼을 편지가 어떠했을지 상상하기도 했다. 물론 이 모든 이야기가 위대한 작가의 죽음 이후 떠도는 전설 중 하나일 수 있다. 그러나 만약 사실이라면 어떨까? 베를린 어딘가에 1백 세 넘는 어느 할머니가 검은 모자를 쓴 야윈 아저씨를 떠올리며 여전히 미소 짓고 있을지도 모른다. 그녀의 추억 속 카프카는 좋은 사람으로 남아 있을 것이다. 그의 시대와 지금 우리의 시대를 동시에 살았던 한 사람으로.

보헤미아와 모라비아의 지도 속 카프카

프라하 인근의 도시, 로즈토키Roztoky❶
카프카의 가족은 1900년 여름휴가를 이곳에서 보냈으며,
카프카가 첫사랑을 경험한 곳이기도 하다.

즐라테 호리Zlaté Hory❷
카프카는 1905년과 1906년에 이 지역에 있는
슈바인브루크 박사의 요양원에서 시간을 보내면서 수(水)
치료, 마사지, 여행을 즐겼다.

트르제슈티Třešt❸
1907년 8월, 카프카가 막스 브로트에게 쓴 편지 속에서
지그프리트 삼촌과 보낸 휴일을 엿볼 수 있다.
나는 오토바이도 엄청 타고, 수영도 즐기고, 연못가의
풀밭에 오랫동안 벌거벗은 채 누워 있었어.

브라티슬라비체Vratislavice❹
리베레츠 인근의 작은 마을로, 유명한 카펫 공장이
있었다. 프리들란트, 바른스도르프, 룸부르크, 흐라데크
나트 니소우와 같은 지역에서도 그러했듯이, 카프카는
이곳에서 공장 노동자의 안전을 점검했다.

리베레츠Liberec❺
카프카는 이 도시의 한 채식 레스토랑을 칭찬하곤 했다.
그리고 그 식당과 같은 위치에서 2003년부터 새로운
채식 레스토랑이 운영되고 있다.

마리안스케 라즈네Mariánské Lázně❻
유명한 서부 보헤미아 온천 중 하나로(독일어로
마리엔바트), 카프카는 펠리체와 함께 1916년에 잠시
머물렀다.

시르젬Siřem❼
보리 농사를 짓는 외딴 작은 마을로, 카프카가 머물곤
했던 오틀라의 농장이 있었다.

젤리지Želízy❽
코코르진 지역에서 가장 유명했던 요양원으로, 카프카는
여기서 율리 보리체크를 만났다.

플라나 나트 루슈니치Planá nad Lužnicí❾
카프카가 소설「성」의 집필을 끝내 포기한 곳이었다.

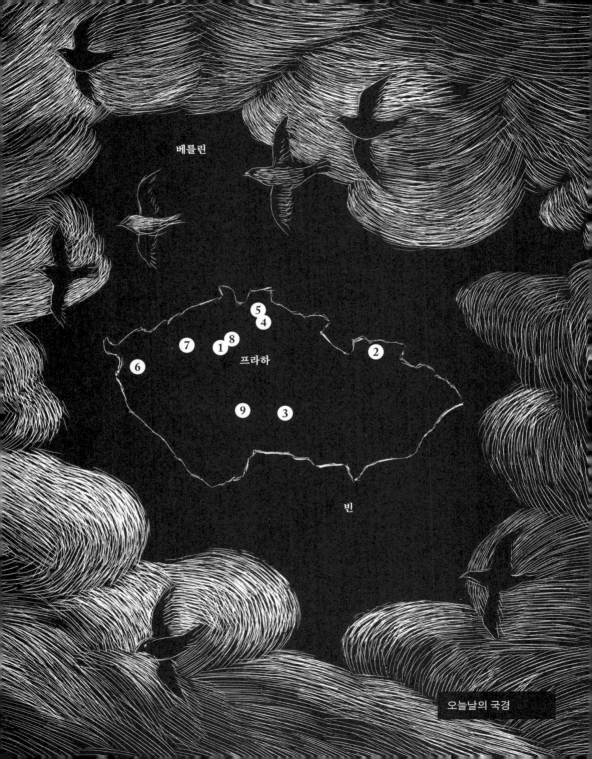

베를린

⑤
④

⑦ ① ⑧

프라하

⑥

②

⑨ ③

빈

오늘날의 국경

유럽 지도 속 카프카

헬골란트섬Helgoland❶
1901년 카프카가 졸업 시험에 합격한 것에 대한 보상으로
지그프리트 삼촌과 함께 떠난 북해의 작은 섬이다.

드레스덴Dresden❷
1903년 드레스덴 인근의 화이트 디어 요양원에서
카프카는 일광욕, 목욕, 그리고 건강한 식단을 바탕으로
한 최신 유행의 자연 치료법을 시도했다. 1914년 그는
드레스덴 교외에 있는 헬레라우 예술인 촌에서
머무르기도 했다.

리바 델 가르다Riva del Garda❸
이 북부 이탈리아 휴양지에서 카프카와 브로트는 1909년
가을 브레샤로 여행을 떠났고, 그곳에서 그들은 열기에
휩싸인 에어쇼를 방문했다. 카프카는 1913년에 이곳을
다시 방문했다.

파리Paris❹
당시 대다수의 젊은 유럽의 예술가와 작가들은 파리와
몽마르트를 꼭 방문했다. 카프카도 브로트와 함께 여러 번
파리에 갔다.

취리히Zurich❺, 루체른Lucerne❻, 루가노Lugano❼
1911년 카프카가 스위스 여행을 할 때 머물렀던 도시.

바이마르Weimar❽
1912년 카프카는 브로트와 함께 괴테의 발자취를 좇아
튀링겐의 이 역사적 도시를 방문했다.

밀라노Milano❾, 베네치아Venezia❿, 베로나Verona⓫
카프카는 1913년 펠리체와의 관계에 대해 생각할 시간을
갖기 위해 이탈리아의 도시들을 여행했다.

베를린Berlin⓬
카프카는 펠리체와 만나기 위해 독일의 수도인 베를린에
방문하곤 했다. 나중에는 도라와 함께 베를린으로 이사했다.

메라노Merano⓭
이탈리아와 오스트리아의 경계에 위치한 남부 티롤 지방의
유명한 온천으로, 1920년 카프카는 치료를 위해 이곳에
머물렀다.

빈Wien⓮
1920년 카프카는 밀레나와 나흘의 시간을 함께 보냈다.

타트란스케 마틀리아레Tatranské Matliare⓯
카프카가 의대생이었던 로베르트 클롭슈토크를 만난
요양원. 로베르트 클롭슈토크는 도라와 함께 카프카가 눈을
감을 때 곁에 있던 사람이었다.

그랄 뮈리츠Graal-Müritz⓰
발트 해안의 유명한 온천. 카프카는 이곳에서 마지막 사랑을
만났다.

클로스터노이부르크 키어링Klosterneuburg-Kierling⓱
이 요양원에서 카프카는 1924년 6월 3일, 생의 마지막을
맞이한다.

프라하

1914년의 국경

프란츠 카프카를 더 알고 싶다면

영화 속 카프카

「소송The Trial」, 오슨 웰스, 1962, 119분, 흑백
문학 작품을 원작으로 한 영화를 제작하고자 했던 오슨 웰스는 카프카의 「소송」을 읽고 이를 영화화하기로 결정한다. 그가 시나리오로 각색하며 가장 신경 쓴 부분은 각 장의 배치였다. 카프카 사후에 출간된 원작의 원고는 친구 막스 브로트에 의해 재배열된 것이었고, 오슨 웰스는 이를 한 번 더 재배열하여 카프카의 메시지를 자신만의 방식으로 전달하고자 했다.

「변신Proměna—Metamorphosis」, 얀 네멕, 1975, 55분, 컬러
〈체코 뉴 웨이브〉의 대표적인 감독 얀 네멕이 카프카의 「변신」을 각색하여 제작한 영화로, 벌레로 변신한 주인공 그레고르의 시점으로 전개한다. 체코인 감독이 만든 카프카와 관련된 영화 중 손에 꼽는 작품이며 음울하고 기이한 분위기가 잘 반영되어 있다. 공산주의 정부의 억압으로 체코에서 떠나있던 시기에 만든 작품이다.

「카프카Kafka」, 스티븐 소더버그, 1991, 98분, 컬러
카프카의 소설 「성」의 배경 속에 보험 공사 공무원이자 작가인 카프카를 등장시켜 살인 사건을 추적하는 내용으로, 그의 삶의 일부를 모티프로 삼고 있으나 허구의 이야기다. 영화 속 주인공 카프카는 픽션과 논픽션의 세계를 오간다. 벌레가 주인공으로 등장하는 소설을 집필하고 있다는 사실과 실제 카프카의 직업 설정을 가져오는 등 일정 부분은 사실에 기반하고 있으나, 비현실적인 성에 놓여 사건에 휘말리는 내용은 완벽한 픽션이다. 결말에 이르는 과정에서 카프카의 작품 세계에서 자주 담고 있는 메시지, 〈개인의 무력함〉을 보여주고 있다.

「소송The Trial」, 데이빗 휴 존스, 1993, 120분, 컬러
프라하에서 촬영하여 카프카가 그곳에서 느꼈을 영감들을 엿볼 수 있다. 다만 카프카가 살았던 과거의 프라하와는 다른 모습이다. 이러한 배경 설정으로 현대에도 〈요제프 K〉가 충분히 존재할 수 있음을 생각하게끔 한다. 원작인 「소송」을 충실히 영화로 옮겼다.

「아메리카Amerika」, 블라디미르 미하일렉, 1994, 90분, 컬러
카프카가 미완으로 남긴 소설 「아메리카」를 원작으로 삼았다. 감독의 데뷔작으로 체코 내에서 처음으로 카프카의 소설을 영화화했다. 원작에서 완성되지 못한 결말 부분을 감독의 해석에 따라 덧붙였는데, 비교적 낙관적인 해피엔딩으로 카프카의 작품 세계를 완전히 반영하지 못했다는 평가가 있다.

「성The Castle」, 미하엘 하네케, 1997, 123분, 컬러
미하엘 하네케는 현대 사회에서 개인이 겪는 소외감과 불안을 정적으로 영화에 담는다. 카프카의 소설 「성」을 원작으로 한 이 영화 역시 유사한 맥락 속에 있다. 미완의 결말도 영화에 그대로 가져오며, 모호한 상황 속에 주인공 요제프 K와 관객들을 남겨 뒀다.

카프카 박물관

체코 프라하 말라 스트라나 치헬나 2B

카프카가 남긴 일기와 엽서, 가족의 기록, 그의 책을 통해 그의 삶을 들여다볼 수 있는 박물관이다. 카프카의 소설 속 분위기가 연상되는 어두운 실내, 신비로운 음향 효과 등으로 관람객들을 카프카의 세계로 인도한다. 1999년 바르셀로나에서 열린 작가와 도시를 연결짓는 3부작 전시 중 하나로 시작하여, 현재의 위치에서 상설 전시되고 있다.

카프카를 기념하는 장소들

— 프란츠 카프카 협회The Franz Kafka Centre, 요세포프 지구 시로카 14.

— 프란츠 카프카 동상The Franz Kafka Memorial, 요세포프 지구 베젠스카 거리 스페인 유대인 회당 인근에 위치한 동상으로, 야로슬라프 로나의 작품.

— 카프카의 머리Head of Franz Kafka, 노베 지구 나로드니 역의 쇼핑몰 앞에 설치된 데이비드 체르니의 11미터 크기 키네틱 설치 작품.

역주

[1]
Josefov. 프라하 블타바 강변에 있는 구역의 이름이다. 신성 로마 제국의 황제였던 요제프 2세의 이름을 딴 지명으로, 1781년 유대인에게 평등권을 부여하는 법을 제정 및 반포한 것을 기리고 있다. 지도프스케 게토Židovské ghetto라고 불리기도 했다. 카프카의 소설「소송」의 주인공 이름은 〈요제프 K〉로, 이 지명과 카프카의 이니셜 K로 만들어진 이름이라는 의견이 있다.

[2]
The Maharal (?~1609). 수학자, 천문학자, 철학자이자 프라하의 전설적인 랍비로 동유럽 유대 신비주의 사상의 초석을 만들었다. 그가 〈골렘〉을 만든 사람이라는 전설이 전해진다.

[3]
Gustav Meyrink(1868~1932). 오스트리아 작가로, 유대인은 아니었으나 유대 신비주의에 심취하여 〈골렘 전설〉을 소설로 옮겼다. 이 작품은 보르헤스와 같은 작가에게 영감을 주기도 했으며, 이후 수많은 다크 판타지 장르의 캐릭터를 만드는 근원이 되었다.

[4]
Ashkenazi. 동유럽에 정착한 유대인을 일컫는 표현. 창세기에 등장하는 아슈케나즈의 이름에서 유래했다.

[5]
Hasidism. 폴란드를 중심으로 18세기부터 시작된 유대교 내 신비주의 운동. 19세기 중엽에 이르러 오스트리아 및 동유럽 전역으로 확산되어 부흥의 시기를 맞이하였으나, 자유주의의 흐름 속에서 쇠퇴하게 되었다.

[6]
Malá Strana. 블타바강을 지나 구시가지까지 펼쳐지는 전망을 볼 수 있는 구릉 지역이다.

[7]
유대인에게 맏아들의 의미는 동양에서 지닌 무게를 넘어선다. 맏아들이 가진 권리, 즉 장자권에는 두 배의 유산을 받을 권리, 축복권, 우선권, 대표권 등이 포함되며, 그에 상응하는 의무를 지닌다. 창세기에서 아브라함은 장자를 여호와에게 바쳐야 했으며 야곱은 에서에게서 장자권을 취한다. 또한 출애굽기에서는 이스라엘을 장자로 규정하며 장자를 괴롭히는 애굽을 벌한다. 신약에서 예수 역시 〈God's only begotten Son〉, 즉 여호와의 장자이며 모든 권리와 대속의 의무를 수행했다.

[8]
〈미네르바〉로 불린 이 학교는 페미니스트 작가인 엘리스카 크라스노호르스카에 의해 1890년 설립된 오스트리아-헝가리 제국 최초의 여성 중등 학교이다. 고등 교육 및 대학 교육을 제공하였으며, 1953년 교육 정책 개편으로 폐교되기 전까지 전통적으로 남성들의 분야로 여겨졌던 분야에 종사하는 많은 여성을 배출했다.

[9]
백신과 항생제 중심의 현대 치료법과는 달리 당시의 결핵 치료는 주로 휴식, 일광욕, 식단 조절 등으로 이루어졌다.

[10]
모든 작품을 태워 달라던 카프카의 유언과는 달리 막스 브로트는 1939년 그의 유작들을 가방에 넣어 이스라엘로 이주했다. 대부분의 작품들은 브로트에 의해 이미 출판되었으나 브로트 사후 남은 카프카의 유작은 일부는 독일에서, 일부는 스위스에서 발견되었고 이에 대한 소유권을 주장하는 이스라엘은 십수 년간 관련 국가들과 법적 분쟁을 치러 왔다.

[11]
1948년 쿠데타로 공산당 독재에 신음하던 체코인들은 1960년대 초 사회적 분위기 전환에 성공한다. 비록 소련의 침공으로 금세 좌절되었지만, 1968년 〈프라하의 봄〉까지의 짧은 기간 동안 다양한 문화 및 예술 활동이 전개되었다.

[12]
1989년에 학생들을 중심으로 일어난 비폭력 민주화 시민 운동으로 공산당 체제를 무너뜨린 뒤, 슬로바키아는 분리 독립 되었으며, 이후 소련의 해체를 촉발시키는 등 동유럽 전반에 큰 영향을 미쳤다. 부드러운 벨벳처럼 조용하고 비폭력적인 혁명이라는 의미로 〈벨벳 혁명〉이라 불린다.

인용된 카프카의 작품

「가장의 근심Die Sorge des Hausvaters」
- 1920년 독일의 출판사 쿠르트 볼프Kurt Wolf에서 출간한 『시골의사Ein Landarzt』에 수록된 단편소설.
- 번역 인용 출처: 프란츠 카프카, 『변신』, 이주동 옮김 (서울: 솔출판사, 2019).
- 작품 전문 인용.

「아버지에게 쓴 편지Brief an den Vater」
- 1919년에 쓴 것으로 알려져 있으며, 1952년 독일 문학 잡지 『디 노이에 룬트샤우Die Neue Rundschaun』에서 최초 전문 발표.
- 번역: 김성환.
- 작품 일부 인용.

「선고Das Urteil」
- 1913년 막스 브로트가 발행했던 문학 연감 『아르카디아Arkadia』에서 최초로 소개된 단편소설.
- 번역: 편영수.
- 작품 일부 축약 인용.

「변신Die Verwandlung」
- 1915년 독일의 대표적인 문예지 『디 바이센 블래터Die Weißen Blätter』 10월 호에서 소개된 중편소설.
- 번역: 편영수.
- 작품 일부 축약 인용.

「브레샤의 비행기Die Aeroplane in Brescia」
- 1909년 프라하의 독일 신문 『보헤미아Bohemia』에 실린 르포.
- 번역: 편영수.
- 작품 일부 인용.

「낡은 문서Ein altes Blatt」
- 1920년 독일의 출판사 쿠르트 볼프Kurt Wolf에서 출간한 『시골의사Ein Landarzt』에 수록된 단편소설.
- 번역 인용 출처: 프란츠 카프카, 『변신·단식 광대』 편영수 외 옮김(파주: 창비, 2020).
- 작품 전문 인용.

「단식 광대Ein Hungerkünstler」
- 1922년 독일의 출판사 피셔Fischer에서 발행하는 독일 문학 잡지 『디 노이에 룬트샤우Die Neue Rundschaun』에 발표한 단편소설.
- 번역 인용 출처: 프란츠 카프카, 『변신·단식 광대』 편영수 외 옮김(파주: 창비, 2020).
- 작품 일부 축약 인용.

인용된 카프카의 기록

『**일기** *Tagebücher*』

— 카프카가 남긴 유고 중 12개의 노트와 두 개의 서류 묶음 등을 막스 브로트가 엮어 1951년 출판사 피셔Fischer에서 출간한 카프카의 전집 중 한 권으로 소개했다. 1910년에서 1923년에 이르는 기간 동안 카프카가 직접 쓴 일기 형식의 글이 실려 있으며, 그의 삶과 작품 집필에 대한 고민과 생각이 가감 없이 담겨 있다.

— 번역 인용 출처: 프란츠 카프카, 『카프카의 일기』, 이유선 외 옮김(서울: 솔출판사, 2017).

『**편지** *Briefe*』

— 카프카를 이해하기 위한 가장 중요한 기록 중 하나는 그가 남긴 수많은 편지와 엽서다. 카프카는 떨어져 지내는 가족, 친구, 연인에게 전하고 싶은 말을 자주 편지로 남겼다. 병세가 악화되어 요양원에서 보내던 시기에는 병실에 홀로 누워 하고 싶은 말을 보낼 수 있는 유일한 창구이기도 했다. 단순히 자신의 일상을 알리기도 했지만, 작품 집필에 대한 이야기와 문학에 대한 열망도 자주 등장하고 있어 카프카 연구에서도 중요하게 다뤄진다.

— 번역 인용 출처:
프란츠 카프카, 『행복한 불행한 이에게』, 서용좌 옮김 (서울: 솔출판사, 2017).
프란츠 카프카, 『밀레나에게 쓴 편지』, 오화영 옮김 (서울: 솔출판사, 2017).
프란츠 카프카, 『카프카의 편지』, 변난수 외 옮김 (서울: 솔출판사, 2017).
프란츠 카프카, 『카프카의 엽서』, 편영수 옮김 (서울: 솔출판사, 2017).

글

라데크 말리Radek Malý

1977년생 체코의 시인, 동화 작가, 번역가, 대학 교수.
체코어와 독일어를 오가며 유럽이 공유하는 세계 대전의
트라우마 등을 언어 사이의 미묘한 긴장감을 통해
시로 표현해 왔다. 체코의 문학상 마그네시아
리테라Magnesia Litera의 시 부문(2006)과
어린이·청소년 도서 부문(2012)을 수상했다. 어린이를
위한 시에 대한 도서와 동화 창작에도 힘을 쏟고 있다.
프라하에 거주 중이며, 체코어와 독일어를 모두 사용하는
작가라는 점이 카프카와 닮아 있다.

그림

레나타 푸치코바Renáta Fučíková

1964년생 체코의 예술가이자 일러스트레이터. 고전
동화의 삽화, 체코의 역사적인 작가들에 대한 책의 삽화
등의 작업을 주로 맡았다. 1998년 가장 아름다운 책
대회에서 2위를 차지하였고, 이후에도 다수의
일러스트레이션 관련 수상 후보에 이름을 올렸다.
드보르자크를 소개하는 책의 삽화를 맡아 체코어로
출판된 어린이를 위한 최고의 책에 수여되는 골든
리본상Golden Ribbon Award을 수상하기도 했다.

번역

김성환

번역된 셰익스피어의 작품을 읽던 중 원문이 더
뛰어나다는 이야기를 듣고 어린 시절 혼자 영어 공부를
시작했다. 유학 시절 경제학을 전공하였음에도, 도서관
주위를 맴돌며 〈좋은 책〉을 계속해서 찾았다. 이 책을
번역하며 프란츠 카프카를 인간 카프카, 평범한 보통의
사람으로 보기 시작하며 무한한 동질감을 느꼈다. 그의
문학과 삶을 다른 시선으로 볼 수 있게 되었다. 20여 년
동안 금융사에서 근무하였으며, 현재 소전문화재단에서
자산 관리를 맡고 있다.

감수

편영수

서울대학교 독문학과를 졸업하고 같은 학교 대학원에서
카프카 연구로 박사 학위를 받았다. LG연암문화재단
연구 교수로서 독일 루트비히스부르크 대학교에서 독일
현대 문학과 카프카를 연구했다. 한국카프카학회 회장을
역임했고 현재 전주대학교 명예 교수다. 막스 브로트의
『나의 카프카』 번역으로 한독문학번역상을 수상했다.
지은 책으로는 『우리가 길이라 부르는 망설임』, 『카프카
문학의 이해』, 『프란츠 카프카』가 있고, 옮긴 책으로는
『카프카의 아포리즘』, 『카프카의 엽서』, 『변신·단식
광대』(공역), 『실종자』 및 빌헬름 엠리히의 『프란츠
카프카』(문광부 우수학술도서 선정), 구스타프 야누흐의
『카프카와의 대화』 등이 있다.

기획

소전문화재단

누구나 문학을 곁에 두고 그 안에서 펼쳐지는 크고 작은
담론에 관계할 수 있도록 독서를 장려하고 문학 창작을
후원한다. 독자를 위한 커뮤니티 〈읽는 사람〉, 문학 도서관
소전서림, 출판사 소전서가를 운영한다.

발행일
2024년 5월 10일 초판 1쇄

발행인
김원일

발행처
소전서가
주소: 서울시 강남구
영동대로138길 23 소전문화재단
전화: 02 511 2016
홈페이지: www.sojeonfdn.org

기획·편집
소전문화재단

글
라데크 말리Radek Malý

그림
레나타 푸치코바Renáta Fučíková

번역
김성환

감수
편영수

디자인
신신

ISBN 979-11-982750-4-2 (07850)
소전서가는 소전문화재단의 출판 브랜드입니다.